O poder do cérebro e da mente

Conceição Trucom

O poder do cérebro e da mente

Um guia prático para sua saúde mental,
emocional e psíquica.

- Com testes e exercícios para melhorar sua capacidade cerebral -

Editora
Cultrix
SÃO PAULO

Copyright © 2008, 2020 Conceição Trucom.

Copyright © 2020 Editora Pensamento-Cultrix Ltda.

2ª edição revista e ampliada 2020.

Obs.: Publicado anteriormente com o título e subtítulo *Mente e Cérebro Poderosos – Um Guia Prático para a sua Saúde Psíquica e Emocional – com testes e exercícios cerebrais.*

Todos os direitos reservados. Nenhuma parte deste livro pode ser reproduzida ou usada de qualquer forma ou por qualquer meio, eletrônico ou mecânico, inclusive fotocópias, gravações ou sistema de armazenamento em banco de dados, sem permissão por escrito, exceto nos casos de trechos curtos citados em resenhas críticas ou artigos de revistas.

A Editora Cultrix não se responsabiliza por eventuais mudanças ocorridas nos endereços convencionais ou eletrônicos citados neste livro.

Este livro tem a intenção de ser um guia de conscientização, qualidade de vida e bem-estar. A prática diária dos exercícios cerebrais é uma ferramenta da medicina preventiva e não dispensa nem substitui o acompanhamento médico.

Editor: Adilson Silva Ramachandra
Gerente editorial: Roseli de S. Ferraz
Gerente de produção editorial: Indiara Faria Kayo
Edição de texto: Alessandra J. Gelman Ruiz
Editoração eletrônica: S2 Books
Revisão: Vivian Miwa Matsushita
Capa: Lucas Campos / Indie 6 Design Editorial

Dados Internacionais de Catalogação na Publicação (CIP)
(Câmara Brasileira do Livro, SP, Brasil)

Trucom, Conceição

O poder do cérebro e da mente : um guia prático para sua saúde mental, psíquica e emocional com testes e exercícios para melhorar sua capacidade cerebral / Conceição Trucom. -- 2. ed. -- São Paulo : Editora Pensamento Cultrix, 2020.

ISBN 978-65-5736-001-9

1. Cérebro - Obras populares 2. Corpo e mente - Aspectos da saúde 3. Corpo e mente (Terapia) 4. Exercícios terapêuticos 5. Inteligência 6. Neurociências - Obras populares 7. Neuropsicologia 8. Saúde mental I. Título.

20-35921   CDD-153

Índices para catálogo sistemático:
1. Cérebro e mente : Guia prático para a saúde
psíquica e emocional : Psicologia 153
Maria Alice Ferreira - Bibliotecária - CRB-8/7964

Direitos reservados
EDITORA PENSAMENTO-CULTRIX LTDA.,
que se reserva a propriedade literária desta obra.
Rua Dr. Mário Vicente, 368 – 04270-000 – São Paulo, SP
Fone: (11) 2066-9000
http://www.editoracultrix.com.br
E-mail: atendimento@editoracultrix.com.br
Foi feito o depósito legal.

Há muitos conteúdos complementares a este livro, para acessá-los, você deve utilizar os QR Codes que estão espalhados ao longo deste volume (como o código à esquerda). Para fazer uso dos QR Codes, baixe um aplicativo leitor de QR Code no seu *smartphone* ou computador e aponte a câmera de seu aparelho para o código. O conteúdo surgirá na tela e você poderá aproveitar a leitura extra.

Sumário

Prólogo	13
Introdução	15
Capítulo 1 - Cérebro: Uma Poderosa Máquina à sua Disposição	**21**
1. A composição do cérebro	22
Os neurônios	22
Os neurotransmissores	24
A gênese do cérebro	24
As partes do cérebro humano	26
2. Os superpoderes do cérebro	28
O cérebro é elástico	28
O cérebro pode se regenerar e gerar novos neurônios	29
O cérebro pode mover objetos	32
O cérebro pode ler pensamentos	33
O cérebro pode ter seus poderes turbinados	34
O cérebro pode colocar um freio no tempo	35
3. O segundo cérebro	36
O sistema nervoso entérico	36
A alegria e o bom sono começam nos intestinos	38
Somos apenas 10% humanos	39
Capítulo 2 - Mente, Pensamentos, Sentimentos e Emoções	**43**
1. As três mentes	44
A mente subconsciente	45
A mente consciente	47
A mente superconsciente	48
2. As emoções e os sentimentos	49
Os três tipos de sentimentos e a respiração	52
Transformando emoções em sentimentos	54

3. As duas vias do pensamento	55
O pensamento lógico e o pensamento intuitivo	56
As vias lógica e analógica	57
4. O momento da escolha: ilusão *versus* realidade	60
Deixando as emoções fluírem	63
Emoções não curadas	64
5. As três qualidades da ação	66
Ação passional ou compulsiva	68
Ação destrutiva ou de ignorar	69
Ação de sabedoria	70
6. O poder da palavra e do silêncio	71
O ato de falar e de calar	72

Capítulo 3 - As Inteligências e a Consciência   **75**

1. O que é inteligência?	75
As múltiplas inteligências	76
Inteligências mentais ou originadas no neocórtex	78
Inteligências do comportamento ou originadas no cérebro reptiliano	79
2. Os sete estágios da consciência	80
Os sete estágios	81
3. Inteligência artificial, trans-humanidade e a singularidade tecnológica	85
O fim do mundo como conhecíamos	85
Transcendendo nossa humanidade biológica	87
Computadores mais inteligentes que humanos	88

Capítulo 4 - Os Alimentos do Cérebro   **91**

1. Alimentação consciente, alimentação desintoxicante, alimentação baseada em plantas	92
2. Os alimentos neuroprotetores	94
3. Os alimentos regeneradores das células	95
4. Os alimentos que estimulam as conexões cerebrais	96
Amaranto, amendoim e amêndoa	97
Castanhas-do-pará, nozes, linhaça e chia	98
Grãos integrais, gérmen de trigo e leguminosas	99
Aveia integral	99
Couves, cebola, salsinha e PANCs	100
Cacau e chocolate amargo	100
Abacates e bananas	101
Mirtilos, frutas vermelhas e frutas cítricas	102

Morangos, maçãs, caqui, cebola e pepino 102
Cúrcuma (açafrão da terra) 102
Minerais e vitaminas fundamentais 103
Não deixe faltar na despensa 105
5. Os alimentos que comprometem a saúde do cérebro 105
6. O jejum e seus benefícios 107
Quando o jejum é indicado? 109
Como fazer o jejum 110
O jejum intermitente 111
Efeitos fisiológicos do jejum intermitente 113
Mitos e dúvidas sobre o jejum 115

Capítulo 5 - O Sono: Reinicializando seu Cérebro **119**

1. As fases do sono 121
2. Quem dorme mais tende a aprender mais 123
3. Quantas horas dormir por noite? 124
4. A melatonina e o ritmo circadiano 125
Melatonina e regulação do sono 125
5. Sugestões para um sono reparador 125
6. As posições para dormir 128

Capítulo 6 - Juventude, Velhice e as Doenças
Neurodegenerativas **131**

1. Os vilões do cérebro e da memória 132
2. Estresse e depressão 133
Sugestões para driblar a ansiedade e o estresse 137
3. Doença de Alzheimer 142
4. Doença de Parkinson 147
Tratamento da doença 150
4. O segredo da juventude está nos telômeros 151

Capítulo 7 - Os Exercícios Cerebrais **155**

1. Origem e benefícios dos exercícios cerebrais 157
2. Como ligar, ativar e turbinar o cérebro 159
A água é o condutor elétrico 159
O oxigênio é o combustível 161
O riso é a faísca 162
3. Exercícios divinos de cura: respiração 162
A série dos exercícios respiratórios 163
4. Exercício para irrigar o cérebro 165
5. Exercícios de motivação e terapia do riso 166

Ganchos de Cook	167
Praticando a terapia do riso	169
6. Exercícios sensoriais	170
Estimulando os cinco sentidos	172
Exercícios sensoriais aproveitando o cotidiano	175
7. Exercícios antiestresse	176
Ao acordar	177
Pescoço e ombros: série 1	180
Pescoço e ombros: série 2	181
Ombros e quadris	181
Braços	182
Abdômen	182
Rolamento e massagem da coluna	182
Pernas	183
Flexão da perna	184
Relaxando a face e ativando os sentidos	185
Toque no rosto	186
8. Mobilização energética	187
9. Exercício Divino dos Mestres	189
10. Exercícios de integração	190
Engatinhar e saltar cruzado	191
Movimentos cruzados deitado	193
11. Exercícios energéticos	194
Botões cerebrais	194
Botões do equilíbrio	194
Botões espaciais	195
Botões terra	196
Bocejo energético	196
Botão da audição	197
12. Exercícios de meditação	197
Meditando com mandalas	198
13. Proposta de prática diária dos exercícios	202

Anexo I - Testes   **203**

1. Teste seu nível de estresse	203
Sintomas de estresse	205
2. Teste sua eficiência cerebral	206

Anexo II - Matérias de Jornais e Revistas   **211**

1. A revolução do cérebro	211
Depressão não é tristeza?	213

2. Exercício pode estimular a reprodução de neurônios — 214
3. O segredo para um cérebro mais jovem
   pode estar no exercício físico — 216
4. Malhar para recordar — 219
   Cérebro malhado — 221
5. Como manter o bom humor — 222
   Cérebro brincalhão — 223
   A sedução do humor — 225
6. Os aspectos positivos dos desafios — 225

Anexo III - Reflexões — **229**

1. Diretrizes para o ser humano — 232
2. As vinte regras de vida — 233

Referências Bibliográficas — **237**

Livros — 237
Internet — 239

❧ Prólogo ❧

Foi com infinita alegria no coração que recebi o convite do meu editor, Adilson Silva Ramachandra, para escrever esta edição ampliada do meu livro. Apesar de sentir que tudo o que havia sido escrito até aqui era muito nutridor e transformador, acrescentar os avanços científicos mais recentes fazem esta obra se elevar uma oitava acima para todos os que desejam se conectar com uma vida regeneradora e expansiva, em todos os sentidos.

Afinal, é com uma Mente expandida e um Cérebro bem nutrido e exercitado que teremos o leme potente de uma vida saudável, produtiva e construtiva. Por isso, agradeço a todos os que contribuíram para que a nova versão deste livro tão significativo pudesse nascer. Aproveito também para agradecer à minha agente literária, Alessandra J. Gelman Ruiz, da Authoria, que me ampara pelos difíceis caminhos de escritora em um momento tão desafiador, porém promissor, do mundo editorial brasileiro e internacional.

Quero dizer também que este livro não é uma obra autobiográfica, como muitos me perguntam, mas sim o resultado de toda a busca que tenho feito desde muito criança pelo entendimento de minha presença e significância aqui na Terra. Confesso que foi uma tarefa árdua, mas instigante e engrandecedora, que persegui, e ainda persigo, incansavelmente, com todas as partes do meu Ser.

A materialização deste livro se deu, na verdade, quando conheci o filósofo da liberdade Baruch de Espinosa, que me permitiu alcançar um momento sagrado de entendimento existencial. Esta obra, portanto, considero como uma ode a Espinosa, e um marco de encerramento de um ciclo da minha vida, que compartilho aqui e agora com você, leitor.

❦ Introdução ❦

No mundo de hoje, com a enorme quantidade de informação disponível – o que nos deixa em constante alerta para estarmos cada vez mais atualizados –, é muito sábio e prudente preparar o cérebro e a mente para assimilar e compreender essa imensa massa de dados e conhecimentos que nos atingem o tempo todo.

Mas não é apenas de fora que a informação chega. Ela também vem de dentro, do interior do nosso corpo. Por isso, para viver bem, é preciso ter consciência corporal e estar verdadeiramente "presente", percebendo nosso organismo, para que a vida seja sentida em sua totalidade e vivida em sua plenitude. É preciso estar no real, no aqui e agora, e captar o momento presente, filtrando a informação externa para priorizar e resgatar a informação interna, que vem do nosso corpo, do nosso coração e da nossa mente. Precisamos estar bem atentos ao que eles nos dizem diante de cada situação que acontece à nossa volta.

Se o que nos informa o nosso corpo, o nosso coração e a nossa mente causa uma sensação integrada de superação, alegria e paz, podemos ficar bem e felizes! Mas se a mente passar para o coração e para o corpo apenas ilusões sensoriais, não poderemos nos sentir totalmente bem e satisfeitos, porque estaremos nos distanciando do real.

É da natureza humana se deixar conduzir automaticamente pelo inconsciente coletivo e pelas cargas culturais e genéticas a que somos expostos, sem estar totalmente conscientes de que estamos agindo dessa maneira. Desse modo, damos enorme espaço para emoções e sentimentos que exaurem nossas energias e impedem nossas realizações individuais. O mais sábio que podemos fazer para reverter esse estado "robótico" de ser da humanidade, narrado e constatado por tantos filósofos (e por nós mesmos), é mantermos nossas múltiplas percepções e inteligências latentes em estado de alerta para, assim, sairmos da caverna das ilusões e permanecermos felizes fora dela.

A caverna das ilusões foi narrada pela primeira vez no Mito da Caverna por Platão, que viveu por volta do ano 399 a.C., para explicar o problema filosófico que se apresenta quando pensamos em aparência e realidade. Trata-se de uma alegoria sobre a predileção humana pelo que está envolto em névoa, pelo caminho que evita a mudança e o novo a todo o custo, e que se satisfaz com a ilusão. O intuito do filósofo foi ilustrar o fato de que a maioria das pessoas vive com um véu diante os olhos, o que possibilita apenas uma noção distorcida de si mesmo e do mundo. Ele conta:

Imagine um grupo de indivíduos acorrentados em uma caverna escura, iluminada apenas por uma grande fogueira atrás deles. Esses homens da caverna podem enxergar apenas sombras de si mesmos e de outros objetos de fora da caverna em imagens que ficam tremeluzindo nas paredes diante dos seus olhos. Essa é a realidade deles: imagens virtuais do mundo real que está lá fora. A maioria dos homens é desprovida de imaginação; outros são indiferentes e simplesmente aceitam essa realidade sem especular. As mentes questionadoras observam os padrões mais claros e tentam entender seu mundo. Ainda assim, a verdade os ilude.

Em certo momento, um dos prisioneiros consegue se libertar das correntes e escapa da caverna. Emergindo para a luz do dia, esse fugitivo é cegado pela luz e pode ver somente uma representação imperfeita da realidade. Com o tempo, esse indivíduo acostuma seus sentidos com o novo ambiente e vê as coisas mais claramente: a paisagem, o céu e o brilho do sol. Essa alma recém-iluminada um dia volta à caverna e tenta espalhar a notícia do novo mundo que existe além dos confins da caverna. Qual será a resposta dos habitantes da caverna? Eles corajosamente irão até onde esse indivíduo foi e realizarão a árdua, porém compensadora, viagem para fora da escuridão e em direção à luz e ao real? De acordo com Platão, não. Eles estariam mais propensos a matar o homem que se permitiu enxergar a luz e os objetos reais – e não as sombras ilusórias –, porque ele é uma ameaça ao estado das coisas já estabelecido.

Assim como o homem que saiu da caverna, este livro, em primeiro plano, propõe a compreensão dos estados robotizados e automáticos, das ilusões repetitivas, das expectativas e frustrações com as quais vivemos e que correspondem à nossa permanência dentro da caverna. Em seguida, pretende mostrar que a saída da caverna se dá por meio do corpo, da mente e do coração.

Além disso, esta obra mostra que a mente – que tem o cérebro como sua manifestação na fisicalidade –, precisa ser nutrida, exercitada, tonificada, fortalecida e iluminada, para sustentar a felicidade e a paz advindas da libertação das ilusões. Por isso, manter o cérebro e a mente sempre despertos e vitalizados é um compromisso pessoal, pois só dessa maneira poderemos exercitar nosso livre-arbítrio e tomar decisões que estarão em sintonia com ideias verdadeiramente criativas, sem jamais nos deixarmos levar por imagens ilusórias.

Por fim, este livro propõe a prática de exercícios cerebrais para desenvolver e treinar a capacidade que temos de usar nosso intelecto (uma conquista humana em eterna provação) a serviço das muitas inteligências submersas no nosso riquíssimo, porém indomado, inconsciente, e no aparentemente inacessível superconsciente, partes essas do cérebro e da mente que são pouco estimuladas e às quais quase não damos atenção.

As pessoas percebem o mundo com suas lentes sensoriais, e essa percepção pode desencadear sentimentos construtivos ou emoções destrutivas. É importante, por isso, estar muito atento e, humildemente, buscar conhecimentos e práticas que nos levem em direção aos movimentos construtivos, de expansão da consciência. Alcançar a mente lúcida, que usa suas inteligências para buscar a verdade dentro de si, nos ajuda a cultivar hábitos, que precisam ser diários, para estimular o desenvolvimento dos pensamentos e das inadiáveis ações construtivas, e transformar, o mais pontualmente possível, os sentimentos desagradáveis em algum tipo de ação racional para o bem e para o estado interno da paz.

Com os ensinamentos abordados neste livro, muitos deles milenares, e mais os exercícios cerebrais e a decisão de sair do sedentarismo mental e das zonas de conforto, haverá uma dinâmica que manterá sua mente e seu cérebro despertos, prontos para superar os desafios da vida, para levar você pelos caminhos da clareza, da verdade e da maturidade afetiva e espiritual.

Um bom começo é saber que o cérebro, a parte física da mente, é como um músculo: quanto mais o utilizamos, mais tonificado, saudável, flexível e inteligente ele fica. Como mostrou uma das mais recentes descobertas da neurociência, nenhum exercício para o seu cérebro é tão bom quanto a leitura. Portanto, boa prática!

෨ Capítulo 1 ෨

Cérebro: Uma Poderosa Máquina à sua Disposição

Mente alerta é aquela que busca a sinceridade
em todas as suas ações. (...)
Uma vida sem questionamentos não vale a pena ser vivida.

– Sócrates

O cérebro humano é a máquina mais sofisticada que sabemos existir. Pena que não venha com manual de instruções, embora inúmeros pensadores, filósofos, sábios e neurocientistas jamais tenham desistido de tentar desvendá-lo.

O cérebro é uma espessa e intrincada teia de células, em que tudo está perfeitamente organizado, dividido, catalogado e indexado. Complicadas conexões nos permitem ver, ouvir, memorizar, vibrar e, diferentemente dos outros animais, planejar o futuro. O mais espantoso é que tudo se faz mediante um projeto meticuloso da natureza, nada se desenvolve ao acaso. As malhas de neurônios são geradas no lugar certo e na proporção exata. Todas as informações necessárias à estruturação dos mecanismos cerebrais já estão demarcadas no "guia de montagem e instalação" que está escrito no DNA.

1. A composição do cérebro

O cérebro é um órgão fundamental do corpo humano. Ele pesa cerca de 1,3 quilo e é composto por duas substâncias diferentes: uma branca, que ocupa o centro, e outra cinzenta, que forma o córtex cerebral. O córtex cerebral está dividido em mais de quarenta áreas com funções diferentes, e é nele que estão agrupados os neurônios, também chamados de células nervosas.

O cérebro possui cerca de 100 bilhões de células nervosas, chamadas neurônios, que estão conectadas umas às outras e são responsáveis pelo controle de todas as funções físicas e mentais do nosso corpo. Além das células nervosas, o cérebro contém células da *glia,* que são células de sustentação, e também vasos sanguíneos.

Os neurônios

Os neurônios, as células que compõem o cérebro e que fazem parte do sistema nervoso, são especializadas em transmitir "mensagens" eletroquímicas, pois se utilizam de um processo que mescla a transmissão de impulsos elétricos e substâncias químicas.

O neurônio pode ser considerado a unidade básica da estrutura do cérebro e do sistema nervoso, e existe em diferentes formas e tamanhos, que guardam semelhanças com as outras células do organismo, porém apresentam importantes particularidades:

• Têm extensões especializadas chamadas de dendritos e axônios. Os dendritos, que existem em grande quantidade em cada célula nervosa e se ramificam perto do corpo celular, são responsáveis pela recepção de informações. O axônio é encarregado da transmissão das informações, normalmente há ape-

nas um por célula, e ele se estende em uma longa ramificação, que pode ir para bem longe do corpo celular.
- Os neurônios se comunicam por meio de processos eletroquímicos, como foi mencionado. O espaço entre o dendrito de um neurônio e o axônio de outro é o que se chama de *sinapse*. Na sinapse, os sinais eletroquímicos são transportados por uma variedade de substâncias químicas chamadas neurotransmissores e neurorreceptores, que operam na presença da água, um excelente condutor de eletricidade.

Os neurônios variam no que diz respeito a suas funções e podem ser:
- Sensoriais – transportam sinais das extremidades do corpo (periferia) para o sistema nervoso central.
- Motores – transportam sinais do sistema nervoso central para as extremidades (músculos, pele, glândulas) do corpo.
- Receptores – percebem o ambiente (luz, som, toque) e codificam essas informações em mensagens eletroquímicas, que são transmitidas pelos neurônios sensoriais.
- Interneurônios – conectam vários neurônios dentro do cérebro e da medula espinhal.

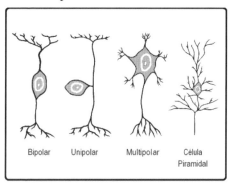

Figura 1 – *Tipos básicos de neurônios.*
Fonte: http://static.hsw.com.br/gif/brain-neuron-types.gif

Os neurotransmissores

Os neurotransmissores são moléculas relativamente pequenas e simples. Cerca de sessenta neurotransmissores foram identificados e podem ser classificados, em geral, em quatro categorias:

- Colinas – das quais a acetilcolina é a mais importante.
- Aminas biogênicas – a serotonina, a histamina, as catecolaminas, a dopamina e a norepinefrina.
- Aminoácidos – o glutamato e o aspartato são os neurotransmissores que excitam, enquanto o ácido gama-aminobutírico (GABA), a glicina e a taurina são neurotransmissores que inibem.
- Neuropeptídeos – são formados por cadeias mais longas de aminoácidos. Os neuropeptídeos agem como mensageiros químicos, interligando o cérebro com os receptores celulares. Existem mais de cinquenta neuropeptídeos envolvidos na transmissão de sinais entre as células nervosas e o sistema imunológico.

A diminuição dessas substâncias pode provocar alteração do sistema supressor da dor, causando enxaqueca, depressão, ansiedade, fibromialgia, dor crônica, Parkinson, Alzheimer etc.

A gênese do cérebro

Quando uma criança nasce, vários processos são desencadeados no desenvolvimento das suas funções cerebrais. Um recém-nascido apresenta cerca de um quarto da massa cerebral de um indivíduo adulto, mas já tem quase todos os neurônios dos quais se valerá pela vida. Os neurônios e suas conexões crescem em tamanho, expandem-se e organizam-se em grandes linhas de processamento.

Entretanto, para que o cérebro desenvolva todo o seu potencial, é preciso que seja estimulado, provocado, trabalhado em suas centrais de comunicação. Nos primeiros anos de vida, o exercício de "musculação" mental garante o desenvolvimento das fibras nervosas capazes de ativar o cérebro e dotá-lo de habilidades.

Os primeiros quatro anos da criança são particularmente fundamentais para a estruturação das funções cerebrais. Um bebê que passe deitado, sem estimulação física, a maior parte do primeiro ano de vida, certamente apresentará anomalias em sua evolução. É fundamental o estímulo e a exploração no processo de aprendizado. Cada aprendizado torna-se arquivo e ponte para novos aprendizados.

No início da vida, as células nervosas são pequenas e esparsas. Não há uma malha fechada de conexões. Entretanto, os neurônios só processam sensações e informações quando estão agrupados em redes de especialização, que precisam e devem se comunicar com eficiência e rapidez.

O potencial e a amplificação da inteligência estão diretamente associados ao número de ramificações existentes entre os neurônios; essas redes podem ser formadas, integradas e fortalecidas por meio de estímulos nas diversas áreas do cérebro.

Hoje já se sabe, embora haja muito mais por saber, que o declínio, com o avançar da idade, das atividades mentais, entre elas as motoras e de memória, não advém necessariamente da morte das células nervosas, mas muito provavelmente da redução do número e da complexidade das redes de comunicação nervosa.

Pesquisas nos últimos dez anos, em diferentes segmentos da neurociência, sinalizam que neurônios "velhos" podem desenvolver uma ampla rede de novas ramificações para compensar perdas inerentes ao avanço da idade.

Os caminhos usados para estimular o cérebro, aqui chamados de **exercícios cerebrais**, são recursos propostos para prevenir, ampliar e, em situações em que não haja sequelas, resgatar nosso poder mental e, mais do que isso, nosso poder pensante, ou seja, a capacidade vital de integrar lucidez e presença (estado de alerta) a cada percepção, pensamento, sentimento ou ação.

As partes do cérebro humano

Assim como o corpo físico abriga o espírito, o cérebro humano abriga a mente, as emoções, os sentimentos e todos os comandos vitais do corpo físico, entre eles os cinco sentidos, o controle e a coordenação muscular.

Anatomicamente, o cérebro guarda uma complexidade que a neurociência, embora caminhando a passos largos na última década, ainda não pôde desvendar por completo. Uma central de informações que não pode parar, ligada 24 horas por dia, o cérebro humano requer 25% de todo o oxigênio que o coração bombeia e de uma grande quantidade de glicose, além de muita água e sais minerais, para que todas as reações eletroquímicas aconteçam a tempo e com precisão.

Simplificadamente, e segundo uma visão mais ortodoxa, no sentido lateral, o cérebro se divide em dois hemisférios: o esquerdo e o direito. Cada lado possui áreas funcionais que utilizam milhares de milhões de células nervosas.

O hemisfério dominante na grande maioria dos humanos é o esquerdo, responsável pelo pensamento lógico e pela competência comunicativa. O lado direito é responsável pelo pensamento simbólico, pela intuição e pela criatividade.

- Hemisfério esquerdo – cérebro novo: racional e lógico.
- Hemisfério direito – cérebro antigo: intuitivo, simbólico e criativo.

O hemisfério esquerdo é conhecido como "cérebro novo", porque nele localizam-se duas áreas inerentes à razão e ao pensamento lógico de que é dotado o ser humano: a área responsável pela motricidade da fala e a responsável pela compreensão verbal.

Entre esses hemisférios localiza-se o corpo caloso – na fissura inter-hemisférica –, que é a estrutura responsável pela conexão, uma espécie de ponte de comunicação, entre os dois hemisférios.

De acordo com os padrões modernos da neurociência, longitudinalmente o cérebro divide-se em três regiões denominadas: cérebro reptiliano, sistema límbico e neocórtex.

- Reptiliano (posterior) – a região mais primitiva; responsável pelos instintos de sobrevivência e de reprodução.
- Límbico (interna) – região mais desenvolvida, inerente aos mamíferos, que permite o autocontrole e o senso de responsabilidade.
- Neocórtex (frontal) – região altamente sofisticada; surge quando o homem fica de pé e enxerga o horizonte; é responsável pelo comportamento social, pelo raciocínio abstrato e pelas funções cognitivas superiores.

De uma maneira muito simples, a parte posterior do cérebro (reptiliana) recebe todas as informações externas e as registra; a parte frontal do cérebro é a responsável por expressar o que foi aprendido.

Um dos propósitos dos exercícios cerebrais é estimular a necessária integração entre as três partes do cérebro e entre seus dois hemisférios, pois quando a integração entre as regiões frontal e posterior é ineficiente, há dificuldade em expressar os sentimentos, o que leva a uma sensação de fracasso, culpa, medo e inadequação; e quando a integração entre os hemisférios é ineficiente, há dificuldade em integrar o lógico e o intuitivo, o que leva à homolateralidade (ausência ou excesso de lógica).

2. Os superpoderes do cérebro

Todas as ações humanas são coordenadas pelo cérebro. O córtex motor é uma área especializada, que se localiza logo acima da orelha e contém um mapa de todo o corpo: um grupo de neurônios coordena os pés, outro grupo coordena as pernas, e assim por diante, até o controle da própria cabeça, que contém o cérebro.

Uma pessoa cega que lê textos em braile desde pequena utiliza para o tato uma parte do cérebro normalmente ocupada pela visão. Existem casos de pessoas que perderam certos movimentos corporais e, por meio de exercícios específicos de fisioterapia, recuperam-nos. Isso acontece porque a parte do cérebro que foi lesionada se regenera ou, então, porque outro grupo de neurônios assume a função dos que foram danificados.

O cérebro é elástico

Segundo os neurocientistas, o cérebro é muito elástico. Ele se reinventa, cria novos neurônios, novas conexões e novas funções para áreas pouco utilizadas.

Existem condições de pesquisa que possibilitam detectar, por ondas de rádio, o fluxo de sangue oxigenado nas diferentes partes do cérebro. Essa técnica indica quais regiões são mais ativas diante de diferentes estímulos ou situações. Assim, pela primeira vez, ao se mapear um cérebro em funcionamento, observou-se que todo o cérebro trabalha o tempo inteiro, mas, de acordo com o que fazemos, de como utilizamos ou tratamos o nosso cérebro, algumas partes são mais ativadas que outras, o que ao longo do tempo faz muita diferença.

Comparando o cérebro a um músculo, se o exercitarmos, ele estará mais tonificado e protegido. Em caso de danos ao cérebro – sejam eles causados por Doença de Alzheimer ou por pancadas na cabeça –, é possível constatar que pessoas com bom nível educacional ou múltiplas inteligências sofrem perdas menores da capacidade cerebral. Ao que tudo indica, ter o hábito frequente de exercitar o cérebro cria uma espécie de reserva que gera menores perdas da capacidade cerebral diante do tempo, das fragilidades genéticas ou dos acidentes.

O cérebro pode se regenerar e gerar novos neurônios

Acreditava-se que, antes de o bebê nascer, seu cérebro já estava praticamente formado. Daí em diante, ele poderia aprender coisas novas, mas não desenvolveria novos neurônios. Evitar a perda de neurônios ainda é uma atitude sábia e sensata, mas, em 1998, Fred Gage, do Instituto Salk para Pesquisas Biológicas (Califórnia, EUA) e sua equipe de neurocientistas provaram que o cérebro pode produzir novas células nervosas ao longo da vida e denominaram essa capacidade cerebral de neurogênese. Dessa forma, caiu por terra um mito da ciência segundo o qual a regeneração cerebral, ou a geração de novos neurônios, era impossível.

Um grande número de doenças, de um modo ou de outro, está ligado à neurogênese. A depressão, a Doença de Alzheimer e a

Doença de Parkinson são bons exemplos. Isso será abordado mais a fundo no Capítulo 6.

Em dezembro de 2015, a neurocientista dra. Sandrine Thuret, Ph.D. e pesquisadora principal do King's College, em Londres, especializada em neurogênese adulta e saúde mental, proferiu uma conferência TED (conferências realizadas por especialistas em todas as áreas do conhecimento sobre "ideias que merecem ser disseminadas") na qual fez um resumo dos resultados de suas pesquisas e propôs conselhos práticos sobre como podemos ajudar nosso cérebro a realizar melhor a tarefa da neurogênese. Como benefício, podemos obter o aumento da memória e do bom humor, e a prevenção do declínio mental associado ao envelhecimento ou ao estresse.

Nos últimos anos, tem-se aprendido que o hipocampo – uma estrutura cinza que fica no centro do cérebro – é uma das únicas estruturas do cérebro adulto que tem a capacidade de gerar novos neurônios. O dr. Jonas Frisén do Instituto Karolinska (Suécia), em um estudo desenvolvido em 2013, calculou que o ser humano produz de 700 a 1400 novos neurônios/dia no hipocampo. Se comparada com os bilhões de neurônios que temos, essa parece ser uma quantidade pequena. Entretanto, agora se sabe que, ao completarmos 50 anos, todos os neurônios com os quais nascemos terão sido substituídos por novos, gerados na idade adulta.

O dr. Frisén descobriu em seu laboratório que, ao bloquear a produção de neurônios no hipocampo do cérebro adulto, bloqueiam-se também certas habilidades da memória, como, por exemplo, a orientação espacial ou o reconhecimento de nossos trajetos diários. Além disso, suas pesquisas recentes têm nos mostrado de forma empírica que os neurônios são importantes não apenas para a capacidade da memória, mas também para a sua qualidade.

Um caso interessante é a pesquisa realizada sobre a relação da neurogênese com a depressão. Estudos feitos em animais com depressão, publicados por Henriette van Praag e outros cientistas na revista *Nature NeuroScience*, em março 1999, demonstrou que nesses animais existem também baixos níveis de neurogênese. Quando são dados a esses animais antidepressivos, aumenta-se a produção de neurônios novos e diminuem-se os sintomas da depressão, estabelecendo-se, assim, uma relação clara entre neurogênese e depressão.

Além disso, quando a neurogênese é bloqueada, a eficácia do antidepressivo diminui. Isso provavelmente explica, por exemplo, alguns casos de pacientes que sofriam de câncer e depressão e que continuavam com depressão mesmo depois da cura do câncer. Nesses casos, a droga dada aos pacientes para impedir a multiplicação das células cancerosas também impedia que seus cérebros produzissem novos neurônios e, em consequência, não superavam a depressão.

A dra. Sandrine relata, em seus estudos, que nossas atividades, hábitos e costumes podem favorecer ou prejudicar a neurogênese. Entre as atividades que favorecem a geração de neurônios estão a aprendizagem, o exercício físico ou qualquer tipo de atividade aeróbica vigorosa que leve oxigênio para o cérebro. Por outro lado, entre as atividades que diminuem ou prejudicam a produção de novos neurônios no hipocampo estão o estresse e a privação do sono.

A dieta e os nossos hábitos alimentares também têm um efeito muito importante na produção de neurônios novos no hipocampo. Vamos às condutas alimentares e suas implicações:

- Uma restrição calórica de 20% a 30% aumenta a neurogênese. Portanto, a prática do jejum intermitente (ver mais detalhes no próximo capítulo) é altamente recomendável.
- A ingestão de flavonoides, presentes nas frutas vermelhas e nas plantas alimentícias não convencionais (PANC) como beldroega, caruru, hibiscos, moringa e ora-pro-nóbis aumenta a neurogênese.
- Os ácidos graxos ômega-3, presentes nas mesmas PANC citadas, e em peixes gordos, como o salmão, aumentam a produção de novos neurônios.
- Por outro lado, uma dieta com alto teor de gordura saturada terá um impacto negativo na neurogênese.
- Bebidas alcoólicas diminuem a neurogênese.
- Por fim, um efeito muito peculiar: os japoneses, que são fascinados pelas texturas dos alimentos, têm mostrado que uma dieta com alimentos muito macios prejudica a neurogênese, em oposição aos alimentos que requerem trituração, mastigação ou são crocantes.

Junte tudo isso, e o seu cérebro – bem como sua mente – começarão literalmente a "crescer".

O cérebro pode mover objetos

Seu corpo, ao que parece, é muito pequeno para conter uma máquina tão poderosa quanto o cérebro! Já existem até provas de que o cérebro humano é capaz de comandar objetos fora do corpo. Isso é algo que pode mudar nossa relação com o mundo.

Um dos pioneiros nesse tipo de experiência é o neurobiólogo brasileiro Miguel Nicolelis, da Universidade Duke, nos Estados

Unidos. Desde 1999, Miguel e sua equipe vêm estudando a capacidade dos primatas para comandar computadores com a mente.

Miguel chegou a fazer experiências em que sinais cerebrais de um macaco eram transmitidos via internet e reproduzidos por um braço robótico a mais de mil quilômetros de distância. Depois de um tempo ligado ao aparelho, o cérebro do macaco começou a assimilar a nova extensão como parte do próprio corpo.

O cérebro pode ler pensamentos

Alguns anos atrás, foram identificados na Universidade de Parma, na Itália, os **neurônios-espelho**. Os cientistas conectaram eletrodos ao cérebro de um macaco e observaram que um grupo determinado de neurônios começava a funcionar quando ele erguia um objeto específico. Quando alguém levantava esse mesmo objeto perto do primata, o mesmo grupo de neurônios começava a funcionar no cérebro do animal. Em alguns casos, bastava o som da ação de erguer o objeto para que os neurônios fossem acionados. Nos anos seguintes, os cientistas descobriram que, nos seres humanos, os neurônios-espelho são muito mais desenvolvidos, envolvem mais áreas cerebrais e são acionados com maior frequência. E mais: essas células estão ativas desde o momento em que nascemos.

Assim, pode-se explicar por que às vezes conseguimos até prever as intenções dos outros: uma mudança no odor, na temperatura ou nos gestos pode nos dar sinais que ativam nossos neurônios-espelho. O mesmo vale para as emoções. Cientistas franceses mostraram que sentir um odor desagradável ou ver pessoas expressando aversão por um odor dispara o mesmo grupo de neurônios-espelho.

"Esses neurônios, ao que parece, dissolvem a barreira entre a pessoa e os demais", diz o neurologista indiano Vilayanur Ramachandran, da Universidade da Califórnia em San Diego, nos Estados Unidos.

É um ponto em que as mais avançadas pesquisas médicas ganham ar de filosofia oriental: a ideia de que você e os outros são partes de um mesmo todo.

O cérebro pode ter seus poderes turbinados

Exercícios cerebrais têm o objetivo de hidratar, oxigenar, tonificar e finalmente turbinar o funcionamento diário do nosso cérebro. Com exercícios e dinâmicas que fazem parte do cotidiano, mas que são realizados de modo programado, atento e frequente, podemos cultivar um hábito saudável e sábio, que age em nossa vida como um importante tratamento da medicina natural e preventiva.

Mas a neurociência não para, e busca medidas rápidas e eficientes para restabelecer a saúde nos casos em que não se pode esperar, como numa depressão profunda, um elevado nível de dependência química ou perdas acentuadas de memória.

Um dos avanços dessa ciência é a Estimulação Magnética Transcraniana de Repetição (EMTr), uma técnica que permite estimular, inibir e modelar circuitos específicos do cérebro. Trata-se de um ímã potente que pode ser focado em partes específicas do córtex e emite impulsos magnéticos em *flashes* de apenas milésimos de segundo. Um protocolo hospitalar é delicado, pois existe uma dosagem de tempo de magnetização para provocar o estímulo desejado. Dentro dos parâmetros seguros, a máquina faz proezas. "Nós conseguimos usar a EMTr para estimular uma parte do córtex e aliviar a depressão. Também usamos para acelerar o efeito de antidepressivos: em vez de um mês, o remédio apresenta resultados em apenas uma semana", diz o psiquiatra Marco Antonio Marcolin, do Hospital das Clínicas, em São Paulo, pioneiro na técnica. A técnica também estimula a recuperação em derrames, ajuda na interrupção do hábito de fumar, atenua o transtorno de déficit de atenção e até regula o apetite. A grande vantagem é que ela não requer cirurgias nem anestesias e traz resultados que podem se prolongar por meses.

O cérebro pode colocar um freio no tempo

Minha avó sempre dizia: "Quem faz uma vez e não faz bem, três vezes vai, três vezes vem". Em outras palavras, quando a pessoa não está presente, concentrada ou comprometida com o que está fazendo, acaba perdendo tempo e energia. Ou seja, aquilo que se podia fazer uma vez só, precisa ser corrigido ou refeito (pedir desculpas, justificar, administrar atrasos e prejuízos).

A prática diária da meditação é a grande oportunidade para se fazer o resgate do estado meditativo e do poder de ficar no presente. Por meio dela, não é muito difícil fazer minutos e segundos durarem mais. Essa é a definição de tempo divino.

Existem drogas controladas que provocam a percepção alterada do tempo. Mas a melhor maneira de se obter esse "barato", essa alquimia interna, esse tempo frenado, qualificado e multiplicado pela lucidez e pela clareza, é a meditação. E a ação realizada após a meditação, com certeza será mais assertiva, refletida, consciente e acompanhada de aprendizado, compreensão e possibilidades de transformação e superação. Ganhamos tempo. Atletas no auge da carreira e pessoas muito comprometidas com seus talentos e concentradas em sua atividade compartilham esse conhecimento.

O que se sabe é que, durante a prática meditativa, a frequência das ondas cerebrais cai dos trinta ciclos/segundo das mentes agitadas (dependendo do nível de agitação mental ou do estágio da consciência da pessoa, a frequência pode ser de até setenta ciclos/segundo) para uma frequência conhecida como "estado alterado de consciência" (EAC), ou estado "alfa", em que a faixa da frequência de ondas cerebrais é de oito a doze ciclos/segundo.

Nessas condições de desaceleração da mente, o tempo ganha uma nova dimensão e qualidade. Ele rende e torna-se divino.

3. O segundo cérebro

Pode parecer estranho, mas temos sim um segundo cérebro dentro do nosso organismo, tão importante e poderoso quanto nosso "cérebro principal". Ele fica no nosso sistema digestório, tem de 6 a 9 metros de comprimento, vai do esôfago, passa pelo estômago e termina no reto e é composto por meio bilhão de neurônios e mais de 30 neurotransmissores. Ele está localizado mais precisamente no nosso intestino, em uma espécie de forro, que fica nas mucosas que processam os alimentos. É tão relevante e sofisticado, que os cientistas o chamam mesmo de segundo cérebro ou Sistema Nervoso Entérico (SNE), em contraposição ao Sistema Nervoso Central (SNC).

O sistema nervoso entérico

É nos intestinos que se que produz metade de toda a dopamina do corpo e 90% da serotonina presente no organismo, neurotransmissores que regulam nosso humor, bem-estar e outras funções ligadas ao nosso comportamento. O SNE interage muito proximamente com o SNC, ou seja, com o cérebro "de cima", mas ele funciona de forma independente, o que é espantoso. Até intuitivamente sabemos como o mau funcionamento da digestão ou dos intestinos afeta nosso humor, comportamento, emoções e vice-versa. Não é à toa que o termo "enfezado" significa raivoso. E o "frio na barriga" que sentimos quando estamos ansiosos ou entusiasmados é bem real. Ou a dor de cabeça que sentimos por uma má digestão.

Toda essa sofisticação existe porque os intestinos têm a função vital de extrair energia dos alimentos, o que é fundamental para a vida. Sem energia, não existe vida. Diferentemente das plantas, que conseguem sobreviver com gás carbônico, água e luz solar, os animais obtêm energia comendo e digerindo outros seres, vegetais e animais, e tirando deles seus nutrientes. Nosso sistema nervoso intestinal também desempenha outra função crucial: detectar e expulsar substâncias tóxicas, evitando que morramos ao comer algo venenoso ou tóxico.

A relação do cérebro com os intestinos – sistema grastrointestinal ou digestivo –, já era há muito conhecida pelas medicinas milenares, como a Ayurvédica, a Tradicional Chinesa e a Tibetana, mas só mais recentemente, a partir das últimas décadas, vem sendo desvendada pelos cientistas ocidentais. E eles vêm comprovando a autonomia do segundo cérebro por sua habilidade em produzir arcos reflexos – transmissão de estímulos entre os neurônios sensitivos, associativos e motores – que lhes permite tanto captar as informações como processá-las e responder de acordo com a necessidade do momento. Em outras palavras, os intestinos também "pensam", "decidem" e executam tarefas assim como o cérebro.

No Brasil, o Laboratório de Pesquisas em Neurônios Entéricos da Universidade Estadual de Maringá, no Paraná, vem se destacando como centro de pesquisa no assunto. De acordo com o seu coordenador, dr. Marcílio Hubner de Miranda Neto, os neurônios, tanto do cérebro como dos intestinos, guardam semelhanças e são basicamente de três tipos:

- **Natureza Associativa** → conduzem as informações a serem processadas.
- **Natureza Motora** → respondem aos estímulos.
- **Natureza Sensorial** → captam os estímulos do meio ambiente e os transmitem aos centros nervosos.

Sob a batuta dos neurônios entéricos, os alimentos devem percorrer o sistema digestório a uma velocidade metabólica ideal, para que a massa alimentar e o bolo fecal não fiquem retidos (em qualquer parte do seu trajeto) mais do que o tempo necessário, e assim não haja retenção de matéria em decomposição no organismo, o que poderia ser nocivo ao corpo.

A alegria e o bom sono começam nos intestinos

Alegria de viver e serotonina são absolutamente relacionadas. Uma não existe sem a outra. Tanto é assim que os tratamentos clássicos da depressão envolvem remédios ligados a esse neurotransmissor, e eles interferem no seu ciclo natural dentro do organismo. A grande questão é que esses medicamentos não atuam no cerne do problema, que é a falta de produção da serotonina. Como dissemos, 90% da serotonina é produzida nos intestinos, e o dr. Helion Póvoa em seu livro *O Cérebro Desconhecido* (Editora Objetiva, 2002), diz o seguinte sobre ela:

> *Quando analisamos o fato de que o intestino é fundamental na formação da serotonina, nada mais é preciso acrescentar. A alegria e a inteligência emocional, de que tanto precisamos para viver bem, começam realmente a partir do intestino! Por isso, só nos resta garantir a esse fantástico órgão matérias-primas de primeira qualidade, o que conseguimos com*

uma alimentação saudável. Ele, inteligentemente, se encarregará de garantir nossa saúde e felicidade.

Além de ser importante por si só, a serotonina é a precursora bioquímica da melatonina, um hormônio produzido pela glândula pineal, localizada na base do cérebro. Ela é fundamental no processamento da luz, da informação eletromagnética, o que regula nosso ciclo sono/vigília. Os níveis de melatonina no organismo sobem quando há pouca luz, e é a melatonina que induz ao sono.

Quando há muita luz, a melatonina é destruída no organismo, e seus baixos níveis nos induzem a despertar. Poranto, quando não havia luz artificial, era o ciclo do sol, de dia/noite, luz/escuridão, que interferia diretamente no nosso ciclo de sono, de dormir e acordar. A melatonina é também o antioxidante mais poderoso produzido pelo organismo.

A serotonina e a melatonina, portanto, têm uma relação de alternância. A serotonina predomina quando o cérebro se encontra em estado de alerta, e a melatonina predomina nos períodos de sono. O que não se sabia até recentemente é que ambas são secretadas também pelas glândulas dos intestinos, e não apenas pela pineal. Essa dupla dinâmica aumenta a qualidade do sono, a sensação de bem-estar, o otimismo, o bom humor, a capacidade de atenção e de raciocínio. Os pensamentos ficam mais leves e a vida fica mais prazerosa.

Somos apenas 10% humanos

Toda essa importância dos intestinos e seu enorme poder como um segundo cérebro existem graças a uma força que não é humana. Sim, temos ajuda extra: bactérias. O mais incrível e curioso é que elas são a imensa maioria do nosso corpo!

Há basicamente 10 trilhões de células no corpo humano, mas há cerca de 100 trilhões de bactérias vivendo no nosso organismo! Ou seja, para cada célula de nosso organismo, co-habitam em nós outras nove células não humanas, já que bactérias são organismos unicelulares. Somos, literalmente, 10% humanos apenas, se considerarmos as células de seres vivos que vivem juntas em nosso corpo.

Você não é formado apenas de osso, músculo, pele e coração, mas também desse arsenal de micro-organismos, que compõem um verdadeiro ecossistema e vivem em sincronicidade com todas as células, órgãos e sistemas humanos.

Como isso é possível? As bactérias são muito menores em tamanho do que nossas células. Porém, juntas, elas podem pesar cerca de 4 quilos. E elas não estão apenas nos intestinos, mas em todos os lugares, dos cílios à ponta das unhas.

Desde que a ciência descobriu as bactérias, por meio do cientista holandês Antoine van Leeuwenhoek, em 1676, os seres humanos sempre temeram e desprezaram esses micróbios por serem a causa de doenças e infecções mortais. Por isso, até pouco tempo atrás, esses 100 trilhões de micro-organismos eram considerados como invasores, inimigos e nocivos, e estávamos decididos a exterminá-los. Mas as pesquisas e descobertas mais recentes nos mostram que as bactérias nem sempre são prejudiciais, e as que moram em nosso organismo são fundamentais para ele, pois existe uma estreita simbiose e a verdade é que, sem elas, é impossível ser saudável.

Essa população de micro-organismos, chamada de microbioma humano, em sua esmagadora maioria vive no nosso sistema digestório, onde existem 300 espécies deles. Essas pequenas criaturas contêm cerca de 22 milhões de genes com seus próprios DNAs, que não só permitem que elas existam, como são fundamentais para vários processos do organismo humano, auxiliando na digestão, mantendo o sistema imunológico saudável e controlando nossa fome ao ajudar a nos sentirmos saciados.

Embora apenas 10% de você seja humano, suas células humanas podem mudar os outros 90% de bactérias, porque tudo o que você come afeta seu microbioma. Dependendo do que você ingerir, e dos seus hábitos e estilo de vida, estará alimentando bactérias aliadas, mas também poderá estar cultivando bactérias inimigas, que também vivem em você. O médico e nutrólogo dr. José Roberto Kater afirma que no microbioma intestinal há:

- 20% de micro-organismos do BEM, que trabalham a nosso favor e são nossos "amigos ocultos".
- 30% de patógenos, ou seja, micro-organismos do MAL, que se puderem nos destroem física, emocional, espiritual e psicologicamente.
- 50% de micro-organismos que ficam no time "que está ganhando", ou seja, no predominante.

Alimentos que contêm prebióticos e probióticos, por exemplo, introduzem novas e saudáveis bactérias, que podem ajudar as antigas a funcionarem melhor. Por outro lado, comidas industrializadas ou quaisquer outros alimentos processados e ultraprocessados, cheios de aditivos químicos, matam as bactérias boas, deixando você sem seus poderosos aliados.

Pessoas que vivem no lado ocidental do planeta possuem, na verdade, um microbioma muito menos rico do que as de outras culturas que não costumam comer alimentos processados, e que têm o hábito de ingerir mais alimentos de origem vegetal, mais frescos, *in natura* e ricos em fibras. O microbioma presente nos intestinos torna-se mais numeroso e biodiverso, mais saudável e nosso aliado, quanto mais alimentos ricos em fibras e bons hábitos de hidratação praticarmos.

Na contramão, dietas baseadas em alimentos massivamente processados e transformados, bem como o uso frequente de antibióticos e cosméticos bactericidas, por exemplo, facilitam as doenças, desde as físicas, como as constipações, baixa imunidade e disbioses (intestinal, genital e bucal), até as psicológicas (comportamentais) e neurológicas. Esses costumes ocidentais também podem explicar por que existem muito mais casos de alergia e de doenças autoimunes do lado de cá do planeta.

Assim, com nossas atitudes podemos decidir se seremos aliados ou inimigos dos nossos pequenos "amigos ocultos". Para ser um bom parceiro das bactérias boas, a dica principal é muito simples: ter bons hábitos alimentares, bebendo muita água de qualidade e ingerindo alimentos ricos em fibras, preferencialmente *in natura* ou minimamente processados. É até pouco a se fazer, para o tanto de benefício que as bactérias do bem trazem ao nosso bem-estar e saúde!

❧ Capítulo 2 ❧

Mente, Pensamentos, Sentimentos e Emoções

Transformar nosso coração e nossa mente é compreender
como funcionam os sentimentos e os pensamentos.
– Dalai Lama

Sócrates (470 a 399 a.C.), o importante filósofo grego que fundamentou toda a maneira de pensar do Ocidente, disse que o ser humano precisa fazer melhor uso de seu potencial mental para viver uma vida mais consciente. Embora justifiquemos com a agitação da vida moderna a nossa falta de tempo para refletir, meditar e buscar formas de agir que tragam mais consciência, realização e paz pessoal, parece que desde muito tempo, pelo menos há 2.500 anos, quando esse filósofo desenvolveu sua linha de pensamento, o ser humano não se detém para perguntar: o que estou sentindo? O que penso das minhas emoções neste exato momento e como as compreendo? O que faço com elas? Como posso sanar a ansiedade, a ira, o ciúme, a compulsão ou a depressão que sinto?

É muito importante, antes de tudo, entendermos o modo como usamos nosso cérebro, nossa mente e nossa inteligência para planejar nossas ações. O diagrama a seguir mostra a correlação entre cérebro, mente, emoções, sentimentos, pensamentos e ações. Ele será útil para a compreensão deste capítulo e também no decorrer de toda a leitura. Com ele podemos verificar de onde vem nosso poder de decisão e de escolha, e como o que pensamos e sentimos moldam nossas ações e o mundo em que vivemos.

CÉREBRO
⇩
MENTE SUPERCONSCIENTE ou eu superior
MENTE CONSCIENTE ou eu consciente
MENTE SUBCONSCIENTE ou eu inconsciente
⇩
EMOÇÕES — instintos
SENTIMENTOS — livre-arbítrio
⇩
PENSAMENTO LÓGICO
PENSAMENTO INTUITIVO
⇩
PODER PENSANTE
AÇÃO CONSTRUTIVA ou SÁBIA — MUNDO DA REALIDADE
AÇÃO DESTRUTIVA ou PASSIONAL — MUNDO DA ILUSÃO

Figura 2 – *A dinâmica cerebral que molda nossas ações.*

1. As três mentes

A mente humana é dotada de infinitas possibilidades.
Quais são os obstáculos?
Nosso consciente é somente a ponta do iceberg,
10% da totalidade do que somos.
– James Mannion

Como um castelo de três andares, nosso cérebro abriga três níveis de consciência. Esses três níveis são a mente subconsciente, a mente consciente e a mente superconsciente.

A mente subconsciente

Nesse nível de consciência residem os impulsos automáticos, que representam o arquivo vivo de atos já realizados (atemporal). Aí residem o hábito e o automatismo. Na mente inconsciente, que é a esfera dos impulsos instintivos, estão arquivadas todas as experiências da animalidade anterior; por isso, na sabedoria xamânica, esse nível é chamado de *mente antiga*.

A mente subconsciente também é conhecida como *não racional*, porque sua função, tal qual um computador, é armazenar informações e obedecer a ordens sem questioná-las. Ou seja, por não ter nenhuma capacidade de discernimento e raciocínio, a mente subconsciente não se importa com nada, só obedece a comandos, embora seja dotada de imensa inteligência e potencial.

Incansável e servil, a mente subconsciente funciona 24 horas por dia, fazendo aquilo para o que foi programada, normalmente na infância, pelos pais, avós, colegas, professores e pela mídia. Ela armazena todos os hábitos, sejam eles construtivos ou não.

Mente subconsciente: Eu inconsciente e mente não racional
Lida com impressões imediatas e inconscientes: estímulo-resposta.
Funciona como um banco de dados e arquivo de ideias inconscientes: emoções, lembranças, imagens, hábitos, impulsos, desejos e instintos.
É responsável pelo funcionamento e preservação do corpo físico.
Gera a maioria dos sonhos, buscando enviar mensagens para a mente consciente.
É incansável: funciona 24 horas por dia.
Funciona segundo a lei da atração: semelhante atrai semelhante.
Examina, classifica e armazena informações: no inconsciente.
Controla os sentidos internos, que atuam via imaginação.
Propaga e armazena as percepções dos cinco sentidos.
Cria canais de comunicação, com objetos e pessoas, por meio de formas-pensamento.

Fonte: Adaptação de *Psicologia da Alma*, de Joshua David Stone
(Editora Pensamento)

Para alterar o que está programado, é preciso muito comprometimento e dedicação. Segundo a psicologia, são necessários um mínimo de 21 dias de prática consciente para instalar um novo hábito na mente subconsciente. Só a partir de então o novo hábito se torna uma ferramenta da mente consciente.

Ao reconhecer a influência da mente subconsciente sobre minha força de vontade, tomo o cuidado de nela introduzir uma imagem clara e definida do meu propósito maior de vida, bem como de todos os propósitos menores que levam ao meu propósito maior. E mantenho sempre essa imagem em minha mente subconsciente, repetindo-a diariamente!

– Bruce Lee

A mente consciente

Na mente consciente residem o comprometimento, o propósito e a vontade. Somente por meio dela damos os primeiros passos para o uso do "estado de alerta", do livre-arbítrio, do discernimento e da consistência. É nesse nível que se erguem e se consolidam as qualidades nobres que o poder pensante se propõe a edificar. Segundo o xamanismo, saindo do estado instintivo, o homem passa a ter a seu dispor a *mente nova*.

A mente consciente – sede do esforço próprio e do desenvolvimento da vontade – é comparável a um programador de computador: ela tem a função de operar, proteger, manter organizada e limpa (apagando ou reinstalando programas) a mente subconsciente. Ou seja, seguindo os conhecimentos da psicologia, é a mente consciente que governa a mente não racional.

Toda vez que não fazemos uso da mente consciente, é a mente inconsciente que dá os comandos. Quando uma emoção, sentimento, impulso ou pensamento emerge da mente subconsciente, é dever da mente consciente estar alerta e usar suas capacidades de inteligência e discernimento para julgar se o que se apresenta tem poder construtivo e pode se transformar em ação ou se é destrutivo e precisa ser transformado por meio da meditação, da reflexão e do discernimento consciente.

Importante lembrar que a mente subconsciente está repleta de arquivos antigos, e a mente consciente precisa estar desperta, viva e alerta para atualizar e resignificar toda essa programação antiga – às vezes de ancestrais e de outras vidas – e evitar que a mente subconsciente assuma o comando.

Mente consciente: Eu consciente e mente racional ou lógica
É a direção executiva.
Funciona como uma central de decisões: livre-arbítrio.
Discerne, busca consistência, lógica e justiça.
Tem o poder da vontade, da concentração e da disciplina.
Busca a coragem e a determinação.
Busca a ordem para perceber com clareza.
Busca o discernimento e o raciocínio.
Busca o uso das diversas inteligências.

A mente superconsciente

*Pensamento sincero significa
pensamento compenetrado, consciência silenciosa.
O pensamento de uma mente distraída não pode ser sincero.*

– Bruce Lee

Depois que se consegue alcançar o espaço do silêncio, a mente superconsciente é o lugar da reflexão, da verdade interior, onde encontramos a dimensão das noções superiores. Nesse nível descobrimos o ideal, a ideia e a meta superior a serem alcançados. Quando ouvimos a mente superconsciente, conseguimos compreender as concepções superiores. Não é fácil permanecer muito tempo nesse nível de consciência, mas certamente é esse o lugar de chegada, a grande meta da evolução humana.

Mente superconsciente: Eu superior e mente espiritual
Pode ser acessada por meio da meditação, do silêncio, dos sonhos, do riso búdico, dos mantras, da intuição ou de um diário.
Sua interferência e sua ajuda se fazem ouvir somente quando solicitadas.
Num nível consciente, não interfere no livre-arbítrio.

2. As emoções e os sentimentos

> *Plante um pensamento, colha uma ação.*
> *Plante uma ação, colha um hábito.*
> *Plante um hábito, colha um caráter.*
> *Plante um caráter, colha um destino.*
> – Stephen Covey

O bem maior do homem é a realização do seu poder pensante, quando ele consegue dominar as suas emoções, os seus sentimentos e os seus desejos; a partir daí, todos eles perdem o sentido.

É comum a ideia de que a mente humana só entra em ação depois que já se formou o pensamento. Mas, numa camada mais profunda do que aquela em que se forma o pensamento, surge a emoção/sentimento, que gera o pensamento. Toda ação é decorrente de um perceber (com todos os sentidos) e sentir na mente. O comando da ação **não** é acionado diretamente pelo pensamento. As pessoas pensam porque antes perceberam o ambiente por meio dos sentidos e geraram emoções ou sentimentos.

Se as emoções são geradas por imagens e por distorções dos sentidos, a mente será iludida.

A ação realmente criativa é resultado de um estado de alerta ou da meditação.

Portanto, as emoções e os sentimentos desempenham um papel muito importante, porque são eles que acionam a forma de sentir da mente, os pensamentos e o desencadeamento das ações. A mente subconsciente é a sede de todas as emoções, de todos os sentimentos. A mente consciente é a área mental onde são registradas as emoções e os sentimentos já experimentados. É por isso que as emoções e os sentimentos gravados na mente subconsciente se manifestam com tanta força.

Mas é fundamental diferenciar emoção de sentimento. Na verdade, eles caminham muito perto um do outro, pois afloram do mesmo ponto da mente, o subconsciente. As emoções são mais reptilianas (primitivas, instintivas, carentes de censura); os sentimentos são emoções que já passaram por filtros conscienciais e espirituais.

O processo evolutivo do indivíduo pode ser determinado pelo fato de ele ser movido pelos instintos e pelas percepções equivocadas e imaginadas (emoção), ou pela espiritualidade, que percebe pacífica e amorosamente a realidade (sentimento).

A emoção é um estado afetivo intenso (eu diria "desafetivo"), muito complexo, proveniente da reação, ao mesmo tempo mental e orgânica, a certas excitações internas ou externas. Na emoção existe forte influência dos instintos e da não racionalidade.

O sentimento se distingue, basicamente, da emoção por estar revestido de um número maior de elementos intelectuais e racionais. No sentimento já existe alguma elaboração no sentido do entendimento e da compreensão; há uma aproximação da reflexão e do livre-arbítrio, da espiritualidade e da racionalidade ou evolução humana. Existe mais afeto para consigo e o entorno.

Segundo Graham Music, psicoterapeuta do Serviço Nacional de Londres, o local da emoção é o corpo, e o local do sentimento é a mente, embora os estados mentais e as experiências emocionais sejam dois lados de uma mesma moeda. Ele diz:

> A **alegria** é um sentimento. É espontânea e na maioria das vezes não depende de um motivo ou causa; ela simplesmente acontece e transborda do corpo. Não depende da expressão verbal; ela é calma e contagiante.

> A **euforia** é emoção. Ela atropela, é inadequada, sempre verbalizada, incomoda e é pouco diplomática. Normalmente, após a euforia seguem quadros de frustração, depressão e apatia.

> O **amor** é um sentimento. O amor anima, une e liberta.

> A **paixão** é emoção. Com ela vem de brinde o ciúme, a dor, a insegurança e a possessividade.

> O **medo** é um sentimento. Os medos são muitos e até servem como autoproteção, autopreservação ou alerta. Mas ele também é um portal para o amor. O mestre indiano Osho afirmou: *onde não existe amor, só existe o medo, e nada mais.* Coragem (coração + ação) é agir apesar do medo.

> O **pânico** é emoção. O medo constante, sem motivo aparente ou real, que paralisa (o coração) e revela falta de lucidez, de confiança, de fé e de amor.

A **tristeza** é um sentimento. Inevitável em algumas situações da vida, ela pode ser vivenciada juntamente com a paz, porque leva à compreensão de que tudo é passageiro e transitório, como é também aprendizado.

A **depressão** é emoção. Revela dificuldades com a afetividade, necessidade de isolamento e sedação, dificultando a perspectiva do todo, o estado de alerta e de meditação.

A **raiva** é um sentimento. É da natureza humana expressar o sentimento de raiva, até como um posicionamento, um discernimento. Mas esse sentimento deve ser rápido e passageiro, deve durar o tempo de aprender como transformá-lo em atitudes realizadoras e oportunidades para o exercício da paciência, da tolerância e da compreensão.

O **ódio** é emoção. A raiva que se transforma em mágoa, rancor ou ódio leva à autodestruição, à irracionalidade.

Os três tipos de sentimentos e a respiração

Há basicamente três tipos de sentimentos: os agradáveis, os desagradáveis e os neutros. Quando temos um sentimento desagradável, desejamos evitá-lo e escondê-lo até de nós mesmos. Essa é uma excelente maneira de destruir os neurônios.

O melhor que se tem a fazer no momento em que nos deparamos com um sentimento desagradável é respirar conscientemente, a fim de oxigenar a mente e o cérebro, e trazer para dentro de nós vida, renovação e clareza. Assim, podemos observar e identificar o que estamos sentindo. É mais fácil lidar com a tristeza, com a raiva ou com o medo se identificarmos esses sentimentos com sinceridade e profundidade. Inspirando e expirando conscientemente, nós nos curamos.

A respiração é a forma mais poderosa à nossa disposição para nutrir e fortalecer a transformação das emoções em sentimentos positivos e afetividade. As filosofias orientais dominam esse conhecimento e fazem uso dele há milênios. Bons exemplos são os exercícios de alongamento, equilíbrio e respiração do yoga e a entoação dos mantras.

Por meio da respiração, é possível entrar rapidamente em contato com os "sentires da mente" e observá-los por uma óptica mais clara e oxigenada e, dessa maneira, administrá-los. Podemos assim discernir, fazer escolhas e tomar decisões com mais facilidade. Respirando, eliminamos os gases ácidos na expiração, para alcalinizar mente e corpo.

A respiração altera a frequência das ondas cerebrais e desacelera a mente, para senti-la de outra maneira, mais calma e pacífica. Se a respiração for leve e tranquila – resultado natural da respiração consciente –, a mente e o corpo vão lentamente se tornando leves, tranquilos e lúcidos. O mesmo ocorre com os sentimentos.

Na cura dos sentimentos desagradáveis, é necessário ter cuidado, amor e não violência. Não acredite em transformações sem medo e sem amor. Quando os sentimentos desagradáveis são observados de forma consciente, eles podem ser muito esclarecedores e proporcionar revelações e mais compreensão a respeito de nós mesmos e da nossa sociedade. O sentimento verdadeiro é a compreensão, é o perdão; é aquele que dá uma sensação de paz.

Em vez da ação que busca se desfazer de partes de nós mesmos, devemos aprender a arte da transformação. Podemos transformar nossa raiva, por exemplo, em algo mais salutar, como a compreensão. E, dessa mesma maneira, é possível tratar a ansiedade (medo do futuro) ou a depressão (desesperança).

As emoções partem das ilusões, das expectativas, da distorção da realidade, das imagens da mente inadequada (e a elas retornam). Por isso, ficam comprometidos o discernimento e a capacidade de julgamento. Fica faltando a luz do poder pensante, da evolução espiritual. Se aprendemos a transformar nossas emoções em sentimentos neutros, eles nos farão crescer, nos expandir para a conquista da paz.

Transformando emoções em sentimentos

O primeiro passo para lidar com as emoções é reconhecer cada uma delas no instante em que surgem. O caminho para isso é a sinceridade, a plena consciência.

O segundo passo consiste em se tornar uno com a emoção. Não adianta negá-la e tentar enxotá-la com frases como: *Vá embora, Não gosto de você, Você não sou eu etc.* Mais eficaz é aceitá-la e conversar com ela.

O terceiro passo é acalmar a emoção, respirando e oxigenando o corpo e a mente. Para acalmar a emoção, é preciso estar com ela, sentir ternura por ela. Com a mente alerta, é fundamental reconhecer a emoção, sem tentar evitá-la, e perceber sua importância. Durante a expiração, a emoção vai se evaporando e seu poder vai sendo sublimado.

O quarto passo é largar a emoção, soltá-la. Esse passo será a cura.

O quinto passo é olhar a oportunidade para se aprofundar e trabalhar na transformação da raiz daquela emoção, e então se sentir livre. Libertar-se.

O ser humano tem duas maneiras distintas de pensar. Normalmente, favorecemos o pensamento lógico e negligenciamos o modo intuitivo ou analógico de pensar. Existem claras distinções entre essas duas vias de pensamento; mas é a integração entre elas que capacita o nosso poder pensante e dá sentido ao mundo em que precisamos estar e viver.

3. As duas vias do pensamento

Todo pensamento lógico é parcial, nunca pode ser total.
Pois é uma resposta da memória e a memória é parcial,
porque é o resultado de uma experiência. Assim, o pensamento
lógico é a reação da mente condicionada pela experiência.
(...) Quando o pensamento está em alguma parte,
a alma também está ali, pois é a alma quem pensa.
O pensamento é um atributo da alma.
– Baruch de Espinosa

Há duas vias do pensamento, e cada uma delas tem objetivos diferentes. Mas elas devem funcionar sempre integradas, sustentando a decisão criativa de cada situação ou desafio da vida. Elas são:

- A **via lógica**, que é ideal quando o problema pode ser dividido em partes e tem uma solução conhecida, que exige, para ser atingida, somente que se sigam determinados passos.
- A **via intuitiva, espontânea ou analógica**, que é ideal quando é necessário criar, inovar, transformar e lidar com questões novas.

O pensamento lógico e o pensamento intuitivo

O pensamento lógico relaciona-se, basicamente, às atitudes que satisfazem os impulsos básicos de medo e de fome (sobrevivência), quando o mais concreto é fazer uso dos aprendizados que já foram testados e estão armazenados em nosso consciente. Ou seja, estar sempre pronto para as mudanças e transformações, usando o poder pensante e o estar presente, para crescer e sair da mera sobrevivência.

O pensamento intuitivo nos faz estabelecer conexões e desenvolver novos padrões. É nessa via que conseguimos desenvolver a consciência da nossa compreensão inconsciente. É nela que vamos além, transformamos, superamos, crescemos, amadurecemos. Isso é um paradoxo, pois é a capacidade do uso da razão que sinaliza a evolução do homem (cérebro novo), mas, mesmo assim, ele não pode abandonar tudo o que já foi construído (cérebro antigo), que contém toda a força criativa.

Nossa cultura supervaloriza o lógico e o concreto, motivo pelo qual inconscientemente sufocamos ou desvalorizamos os ímpetos para explorar, experimentar, inovar, contestar e sair das zonas de conforto.

No entanto, hoje se sabe que as inteligências e o poder pensante são ampliados à medida que construímos mais ramificações e pontes neuronais em cada hemisfério e entre eles. As palavras-chave para construirmos essas extensas malhas de caminhos de acesso fluido entre as duas vias de pensamento são ludicidade, positivismo, bom humor, riso e movimento corporal para construção dessas pontes: os exercícios cerebrais. As ramificações cerebrais são necessárias dentro de cada hemisfério e entre eles.

- No hemisfério esquerdo, para fortalecer o pensamento lógico e a percepção da realidade.

- No hemisfério direito, para fortalecer a libertação de amarras e âncoras, para fazer uso da capacidade humana de ir além do concreto, do lógico.
- Entre os hemisférios – no corpo caloso –, para deixar fluir e permitir que as duas vias de pensamento atuem de forma integrada, em cumplicidade.

As vias lógica e analógica

O padrão humano é desativar o poder pensante por meio do seguinte raciocínio: o certo é ligar a via lógica e desligar a via analógica ou vice-versa. No entanto, o poder pensante consiste justamente em manter as duas vias ativas, vivas, e com pontes de fácil acesso entre elas, para que possam ser utilizadas para selecionar o modo mais apropriado para cada momento e ambiente da vida.

As duas vias devem sustentar uma à outra nos momentos em que ambas sejam muito necessárias. A Figura 3, a seguir, mostra as diferenças entre as duas vias de pensamento.

Pensamento lógico Hemisfério cerebral esquerdo	Pensamento intuitivo Hemisfério cerebral direito
Lida com a consciência cognitiva	Lida com a inconsciência cognitiva
É explícito e articulado (depende da intelectualidade)	Sua inteligência é inconsciente (emocional e afetiva)
Usa a linguagem e os símbolos na tomada de decisões	Leva tempo para decidir, ousa esperar pelo clique da inspiração
Busca o concreto e a certeza	A certeza é "divagar" com o desafio
Avalia as situações de acordo com suas certezas	Percebe as situações além da avaliação inicial

Pensamento lógico Hemisfério cerebral esquerdo	Pensamento intuitivo Hemisfério cerebral direito
A consciência dos fatos é essencial para a ação	Age sem consciência clara
É objetivo	É flexível e adaptável
Opera na velocidade da linguagem	Opera na velocidade das imagens
É lento e metódico	É rápido, pode lidar com padrões inconscientes e complexos
É metodológico	Desenvolve novos conhecimentos
Encontra soluções práticas e conhecidas	Lida com padrões complexos de identificação das soluções
Tem hábitos conservadores	É original
Avalia as ideias	Gera ideias
Segundo o Xamanismo	
Cérebro novo	Cérebro antigo
Concreto e orientado pelos cinco sentidos	Extrapola os cinco sentidos
Masculino	Feminino
Lógico	Criativo-Analógico-Intuitivo
Racional	Espiritual
Escrita e linguagem orientada	Símbolos míticos
Símbolos artificiais	Símbolos naturais
Segundo Carl Gustav Jung **psiquiatra e psicoterapeuta suíço que fundou a psicologia analítica**	
Orientado pela sociedade	Orientação primitiva
Orientação física	Orientação espiritual
Lógico e racional	Intuitivo e imaginativo

Pensamento lógico Hemisfério cerebral esquerdo	Pensamento intuitivo Hemisfério cerebral direito
Linear e digital	Cíclico e holístico
Verbal – linguagem orientada	Mítico e pictográfico
Observação	Reflexão
Abstrato	Criador

Figura 3 – *Pensamento lógico x Pensamento intuitivo.*
Fonte: *Hare Brain, Tortoise Mind: Why Intelligence Increases When You Think Less,* de Guy Claxton.

Segundo o xamanismo, o cérebro antigo é considerado primordial e, por essa razão, a base dos arquétipos ancestrais, dos conteúdos inconscientes, das faculdades intuitivas e dos símbolos míticos. É o caminho da imaginação criativa, dos sonhos e símbolos da natureza, e tem orientação espiritual e feminina.

O cérebro novo expressa o modo alternativo de conhecimento. É nossa mente consciente e, por essa razão, a base do lógico, do racional e do pensamento linear. Essa via tem a função de dominar e, se não estiver em harmonia e equilíbrio, vai suprimir o rico conhecimento e o conteúdo ancestral do inconsciente. É orientado pelo físico e pelo masculino, confiando somente no concreto, nos fatos e nos cinco sentidos (físicos) para o seu desenvolvimento.

A integração de ambos os hemisférios cerebrais leva ao conhecimento holístico acompanhado do pensamento organizado e, consequentemente, desenvolve as múltiplas inteligências, o intelecto aguçado e o real poder pensante. Como diz o cientista cognitivo Guy Claxton: "Não é que a intuição ocorre em um lugar e o pensamento lógico acontece em outro. É que a intuição e o pensamento lógico são modos diferentes de funcionamento do cérebro como um todo".

4. O momento da escolha: ilusão *versus* realidade

Transformar nosso coração e nossa mente é compreender
como funcionam os pensamentos e as emoções.

– Dalai Lama

Quando restabelecemos o contato com nossa essência e pureza, integramos a criança interior às nossas múltiplas inteligências. Dessa maneira, podemos brincar e aprender com nossos desafios. Há duas formas de lidar com as emoções, os sentimentos e os pensamentos:

- A **forma saudável**, que nos permite perceber e superar os obstáculos inerentes à vida, e
- A **forma reptiliana**, condição que Candace Pert, neurocientista britânica autora do livro *The Molecules of Emotion*, chama de *emoção não curada*.

Emoções não curadas levam a pessoa a viver em um mundo de isolamento crescente, de expectativas e de ilusões, que acabam por se transformar em doenças.

Observando a Figura 4, a seguir, podemos perceber nossas construções emocionais como um desafio para a escolha de um caminho entre duas opções.

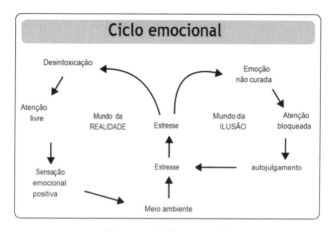

Figura 4 – *Ciclo emocional.*
Fonte: Adaptação de *O Poder do Riso*, de Mariana Funes (Editora Ground).

Cada escolha leva necessariamente a um desdobramento, uma consequência, uma colheita. Os caminhos são opostos:

- Escolho crescer, superar, transformar, evoluir → caminho para o MUNDO DA REALIDADE.
- Escolho não perceber, não decidir, não transformar, não crescer ou não evoluir → caminho para o MUNDO DA ILUSÃO.

O mundo da realidade nos conduz à prática da **atenção livre**, para perceber e viver no momento presente, no aqui e agora. Ou seja, os cinco sentidos estão sendo usados com plenitude, e existe um ser em **estado de alerta** quanto à realidade e suas possibilidades.

O mundo da ilusão, ou pensamento iludido, conduz necessariamente à **atenção bloqueada**, ou seja, os cinco sentidos estão intoxicados, iludidos. Portanto, a visão, a audição, o tato, o paladar e o olfato estão minimizados, adormecidos ou intoxicados. Assim, a percepção do momento presente fica limitada. Os cinco sentidos ocupam grandes áreas especializadas do cérebro e são importantes ferramentas para estimular e exercitar o cérebro. Cérebro vivo, mente alerta.

No ciclo emocional esquematizado na Figura 4, o ponto de partida é sempre a vida acontecendo no **meio ambiente**, quando precisamos interagir com a natureza, os animais, os vegetais, os seres humanos e tudo o mais que nos cerca. Estamos vivos? Então estamos inseridos no meio ambiente.

O estresse é gerado pelo que desejamos interiormente e o que de fato nos acontece no ambiente externo. Ele tem impacto importante no corpo físico, porque gera neuropeptídeos para que as ações corretas ocorram e preservem nossa vida e saúde, e no corpo psicoemocional, porque nos faz experimentar diferentes sensações e percepções, ou seja, diferentes **emoções**.

Diante da vida, experimentamos emoções como tristeza, desgosto, raiva, ansiedade, alegria, aceitação, frustração, mágoa, medo e surpresa. Se misturadas, essas emoções podem gerar muitas outras. Por exemplo:

alegria + medo = culpa
medo + surpresa = alarme
raiva + desgosto = autojulgamento

Acredito que o estresse e as emoções que ele acarreta podem ser encarados como efeitos saudáveis, pois são como um exercício, a oportunidade da humanidade para sair dos instintos primários e da ação inconsciente e alcançar o Ser que age com discernimento, racionaliza e usa suas múltiplas inteligências.

É no exercício diário do viver que as emoções têm a oportunidade da transformação e do amadurecimento afetivo, quando se tornam sentimentos. A cada minuto, a cada desafio, vemo-nos diante do grande momento da escolha: viver no mundo da ilusão ou no mundo da realidade?

No mundo da ilusão, pouco enxergamos, escutamos e percebemos o mundo que nos cerca. Pouca inteligência emocional ou coletiva será possível. Aqui, raiva será ira, medo será pânico, amor será paixão e tristeza será depressão.

No mundo da realidade, as emoções se transformam em sentimentos e as superações se tornam reais. O medo, a perda e os ganhos acontecem num clima de PAZ. A raiva se torna compreensão, o medo se torna coragem e a culpa se torna aceitação.

Entretanto, a repressão das emoções não permitirá o exercício do crescimento, do uso da razão e das muitas inteligências disponíveis à raça humana. É preciso deixá-las fluir e observá-las. Respirá-las. Conversar com as emoções – num nível de consciência –, para organizar o caos e elevar o nível de consciência. É preciso respeitar nosso subconsciente "animal" e encarar nossas emoções "irracionais" com atenção e amor.

Deixando as emoções fluírem

Negar as emoções ou lutar contra elas é o que a humanidade tem feito há séculos. Não funciona. É ilusão. Escolher o mundo da ilusão, ou seja, lutar contra as emoções bloqueia o fluxo de sinais do cérebro e das células e provoca insuficiências que podem levar ao "emburrecimento", a acidentes e a doenças. A chave é expressar as emoções e deixá-las se manifestarem (em estado de meditação), para que não se solidifiquem, criem bloqueios ou cresçam sem controle na mente inconsciente.

O surgimento da emoção é o momento da decisão. Nesse exato momento, podemos ou não dar início ao estado de alerta. A escolha consciente opta pelo caminho rumo ao mundo da realidade. Aqui a emoção já tem possibilidades de se tornar sentimento. A escolha inconsciente seguirá o caminho que leva ao mundo da ilusão. Aqui a emoção vai retroalimentar o estresse e a ilusão.

Quando seguimos o caminho da realidade, passamos da emoção para o sentimento. A transformação da emoção nos dá condição de encontrar as respostas de que precisamos e compreender o aprendizado pelo qual estamos passando.

A prática diária da alimentação desintoxicante é um recurso poderoso, pois permite que a atenção livre seja um estado constante de percepção do momento presente. O riso, a dança, a meditação e a entoação de mantras também podem ser bons instrumentos de transformação das cargas emocionais que nos desequilibram e provocam estados de atenção bloqueada, ou seja, jogam-nos diretamente no mundo cavernoso e solitário da ilusão.

Quando, diante da emoção gerada pelo estresse diário da vida, seguimos o caminho da ilusão, acreditamos que não é apropriado manifestar ou liberar tais emoções, ou talvez, com o organismo e os cinco sentidos muito intoxicados e densos, não temos a menor ideia de como liberá-las com equilíbrio e segurança.

Emoções não curadas

Armazenamos essas emoções no corpo e as experimentamos como **emoções não curadas** que carregamos como subtexto (inconsciente) de tudo o que falamos ou fazemos. Elas ficam "refluxando" horas, dias, meses e anos, e tornam-se emoções viciosas, arraigadas, cristalizam-se e aderem à nossa identidade.

Quando a pessoa é ansiosa, a falta de fé é uma constante na sua vida; essa falta de fé torna-se uma emoção não curada que bloqueia, a todo momento, a atenção às emoções e às intenções pessoais e dos outros. As emoções não curadas provocam ao longo do tempo uma inabilidade para o "estar presente", portanto leva ao não envolvimento pleno com as pessoas e com a vida, com o mundo da realidade.

Imagine que você tenha cem pontos de atenção livre para usar diante de um novo desafio e consome sempre por volta de sessenta pontos para manter as suas emoções não curadas. Como aquele disco interno, arranhado, que insiste em lembrá-lo: *Está vendo? Eu já sabia que isso ia acontecer! Você não vai conseguir.* Então, para viver a realidade só restam quarenta pontos, o que é insuficiente para reparar na alegria de um amigo, contemplar um pôr do sol, sentir o cheiro do bolo feito por sua mãe e receber o abraço do seu filho.

Passamos pela vida com pouca atenção livre e, portanto, interagindo de maneira insatisfatória – autômata – com o mundo que nos cerca, criando mais estresse e ilusão. Quanto menos interagimos com o mundo da realidade, mais aumentamos o nível de atenção bloqueada. Isso faz lembrar uma música de Raul Seixas que falava da *cegueira da visão*.

No mundo da ilusão, desenvolvemos o autojulgamento, porque não nos vemos como "normais", "amáveis", "desejáveis" ou "respeitáveis"; e mais estresse é gerado. Esse ciclo dificilmente volta a se conectar com o meio ambiente, com a vida real. Ele é alienante.

Uma vez habitante assídua do mundo da ilusão, a pessoa não se importa com o que acontece na sua vida a cada momento, mas somente com o acúmulo de emoções não curadas. Ela vai se afastando da realidade e se esquecendo do mundo da realidade, do Estado de Presença; vive presa a emoções sentidas no passado, seis meses, um ou dez anos atrás.

Muitos de nós simplesmente não sabemos ou não lembramos em que lugar ficamos presos ao mundo da ilusão, mas podemos começar o quanto antes a usar os recursos que podem nos ajudar no resgate do caminho escolhido pela consciência; aquele em que usamos os cinco sentidos, por meio da limpeza dos cinco sistemas excretores e da experimentação de todos os sabores da vida, cujos portais são as papilas gustativas.

Dessa maneira, vamos tornar possível que as experiências sejam vividas com sensação emocional positiva, que as múltiplas inteligências se integrem e se expressem, que aconteçam a superação e a transcendência. Então, voltaremos para a vida amadurecidos e mais fortalecidos para enfrentar os estresses e os desafios inerentes ao viver!

5. As três qualidades da ação

O mundo é como um espelho.
Devolve a cada pessoa o reflexo de seus próprios pensamentos.
– Luis Fernando Verissimo

Em nossa vida, podemos escolher os pensamentos que vamos aceitar e os que pretendemos transformar. É uma questão de vigilância. Uma vez escolhidos, serão depois cristalizados no mundo físico pelas ações. Após de praticada a ação, as consequências acontecem como na lei da gravidade: não é possível evitar a queda depois que se solta uma bola no ar. Dessa forma, observando o esquema da Figura 2, observamos que há um momento em que tudo o que era invisível e intangível torna-se cristalino e visível.

Mente → Emoção ou Sentimento → Pensamento → Ação

A cada passagem dessa dinâmica, haverá uma possibilidade, a do livre-arbítrio, que vai determinar as bases de construção e transformação (ou não) da etapa seguinte.

Segundo o *Bhagavad Gita* (Canção de Deus, em sânscrito), um dos maiores clássicos de filosofia e espiritualidade do mundo, a essência do conhecimento védico da Índia, são três as qualidades da ação. Duas delas resultam de escolhas menos conscientes e uma delas resulta de maior aproveitamento do potencial humano. A todo momento, existe a opção de fazer com que a ação aconteça sob uma dessas três qualidades. E cada atitude, por ser fruto do livre-arbítrio, gera um resultado, que determina uma consequência inevitável (a colheita), cujo único propósito é o aprendizado, a evolução.

A todo instante, somos levados a escolher ou decidir, seja em questões profissionais ou familiares, seja quando vamos nos alimentar ou estamos dirigindo um automóvel. Existe, porém, uma qualidade de atitude que predomina em nós em cada área de nossa vida.

O interessante no momento da decisão (que ocorre segundos antes de o pensamento se tornar ação) é que dificilmente temos clareza nos nossos sentimentos e pensamentos, porque eles são abundantes e dispersos, não são conscientes. Porém, se observarmos nossas ações, poderemos entender como são feitas as nossas escolhas mentais.

As ações são cristalinas, visíveis (mesmo que somente para nós) e multidimensionais: tempo, lugar, pessoas, contextos, fatos etc. As nossas atitudes são provas contundentes, materializadas, do que estava acontecendo de verdade em nossa mente. Daí nasceu a expressão *ato falho*. Segundo Sigmund Freud, o ato falho acontece quando o desejo inconsciente é realizado. Isso explica o fato de que nenhum gesto, pensamento ou palavra acontece acidentalmente, mas como sintoma, constituição de compromisso entre o intuito consciente da pessoa e o reprimido.

Quantas das nossas atitudes são alienadas, inconscientes, impulsivas, emocionais, inseguras, pessimistas, felizes, sensatas ou sábias?

Não percebemos, em meio ao caos das emoções e pensamentos, como as engrenagens estão funcionando. Somente quando alguma de nossas elucubrações mentais se torna uma ação, é possível perceber (ou não) quanto estamos comprometidos com a lucidez e com o nosso poder pensante.

Ação passional ou compulsiva

O comando deste tipo de ação passional ou compulsiva é nos convencer de que, sem o néctar do prazer imediato, não é possível viver. Não há resistências. A sedução é instantânea e imediata. É o chamado impulso compulsivo. O prazer é imediatista. Primeiro o prazer, depois a avaliação das consequências.

O resultado desse tipo de atitude leva o praticante, invariavelmente, em um curto prazo, a sentimentos de culpa, insatisfação e decepção consigo mesmo.

Nas atitudes passionais, fica a sensação de que a vida não muda. E essa sensação é real porque, para que haja mudança de resultados, faz-se necessária a mudança da atitude mental.

Ação passional ou compulsiva	Resultado
Viver o prazer	Decepção
Ceder aos estímulos externos	Ansiedade
Saborear o néctar agora e pensar depois	Depressão
	Tristeza
	Insatisfação
	Frustração
	Doenças

Ação destrutiva ou de ignorar

O comando da ação destrutiva vem de um diálogo interno do tipo: "Não serei capaz de assumir o comando de minha própria vida", ou "Não quero assumir responsabilidades" ou "Não sou corajoso o suficiente, o preço da coragem é muito alto". Assim, não questiono, não me informo, não quero saber, há um subtexto de indolência e de permanecer na ignorância (na caverna).

Nesse tipo de atitude, o resultado gera muita mágoa e raiva por todos os fracassos e insucessos dos projetos de vida, que geralmente acabam por se cristalizar no corpo físico, na forma de acúmulos (entre eles a obesidade) ou doenças que ao longo do tempo tendem à gravidade.

Como a decisão inicial é por ignorar a realidade e não assumir compromissos ou responsabilidades, a culpa dos fracassos é sempre do outro, do externo.

A energia pessoal dos praticantes desse tipo de atitude é muito autodestrutiva. Pessoas que fumam ou se drogam estão praticando atitudes destrutivas. Pessoas que insistem em comer frituras, muito açúcar e gordura animal, também. O mundo inteiro está passando a mensagem de que isso faz muito mal à saúde, mas a pessoa não quer saber, não quer questionar, não quer mudar.

Ação destrutiva ou de ignorar	Resultado
Ausência de questionamento	Fracassos rápidos e sucessivos
Ausência de busca ou atenção pela informação	Raiva
	Mágoa
Passividade	Doenças
Indolência	

Ação de sabedoria

O aumento da sabedoria pode ser medido, com exatidão, pela diminuição do mau humor.

– Friedrich Wil

O comando da ação de sabedoria vem da alma. Ele soa bem mais baixo que os comandos do ego e, em geral, temos muita dificuldade em escutá-lo e praticá-lo. Atitudes de sabedoria necessitam de comprometimento, coragem, determinação, força de vontade, disciplina e concentração. Aqui, a **mente consciente** já mostra sinais de acesso mais frequente à **mente superconsciente**.

Os frutos dessa atitude estão associados com a superação, a vitória, a evolução, a lucidez e a inteligência plural. A sensação interior é de muita gratidão, o que gera paz, serenidade e uma compaixão (estado de graça) transbordante.

A energia das pessoas que praticam atos de sabedoria é de evolução e de crescimento. O corpo alimentado com sabedoria entra num estado de harmonia que propicia e dá suporte a estados frequentes de expansão de consciência.

Ação de sabedoria	Resultado
Comprometimento Coragem Determinação Disciplina Força de vontade Busca diária do autoconhecimento e das leis universais	Prazer Saúde Serenidade Equilíbrio Lucidez Discernimento Expansão da consciência Evolução espiritual

6. O poder da palavra e do silêncio

Existem três tipos fundamentais de karma:
o pensamento, a palavra e a ação física visível.
– Francisco Xavier

A comunicação entre seres socialmente ativos se faz primordialmente pelo som, por meio da verbalização dos pensamentos. A manifestação sonora – a palavra – é perceptível a todos que possam ouvi-la, mesmo que, estando ausente a função cognitiva, ela não seja compreendida devidamente quanto ao seu significado.

Como nem sempre verbalizamos exatamente o que percebemos, sentimos e pensamos (na verdade nem sempre temos consciência do que percebemos, sentimos ou pensamos), a comunicação pode apresentar distorções e cargas vibracionais contraditórias, em dissonância com os princípios básicos da boa convivência. Nesse caso, a comunicação sonora se mescla à comunicação "silenciosa" entre as mentes, tornando o ambiente, principalmente para quem é sensível e percebe o invisível e inaudível, repleto das mais diversas vibrações, que confundem, causam intrigas, inseguranças, desconfianças.

O ato de falar e de calar

Se entendermos que o ato de falar é uma ação, bem como o pensar é uma ação silenciosa, cabe a cada um de nós monitorar nosso poder de comunicação por meio da reflexão, da meditação, da respiração e do silêncio. Todo cuidado é pouco. Ore e vigie seus pensamentos, atos e palavras. Antes de falar, perceba-se, filtre, escute, respire e finalmente decida: falo ou silencio? Caso tenha se decidido pelo silêncio, use-o para discernir, para fortalecer a ação assertiva, jamais para julgar.

O xamanismo nos ensina que antes de pronunciar uma palavra, é necessário conferir poder a ela. Não basta utilizar palavras de efeito positivo para alcançar efeitos positivos. Sem dúvida, palavras positivas atraem vibrações positivas; porém, só existe um meio de impregnar de poder uma palavra, para extrair dela seu potencial mágico e torná-la sagrada: é colocá-la na prática da verdade; é antes purificá-la pela percepção, pelo sentimento e pelo pensamento (poder pensante).

A mentira não diminui o poder da palavra, ela só acaba com o poder de construção, com as bases de um futuro sólido, pacífico. Quando uma pessoa mente e é descoberta, a sua palavra não vai mais surtir efeito, por mais lindas e poéticas que sejam. Para ser sagrada, a palavra deve ser acompanhada da conduta, da ação criativa.

Cada vez que usamos a palavra para mentir, ocorre uma redução continuada (enquanto durar a mentira) de neurônios e do poder sagrado dessa palavra, mesmo quando a mentira não magoa ninguém ou, como costumamos dizer, for apenas uma mentirinha sem importância, conveniente. Não se iluda! O poder da ação criativa está sendo fragilizado.

Quando usamos a palavra para blasfemar, para julgar o próximo, para ironizar pessoas ou situações, damos péssimo uso a ela. Quando damos a nossa palavra e não a cumprimos, seja para nós mesmos, quando dizemos *vou estudar, vou emagrecer, vou romper esta relação*, ou quando não cumprimos prazos, ou quando faltamos a um compromisso, mesmo que seja por esquecimento (nada acontece por acaso, o esquecimento costuma ser ato falho), enfraquecemos a ação construtiva, a colheita.

Quando pronunciamos uma palavra, dois fenômenos acontecem:

1. Nosso cérebro acredita em nós e registra o compromisso. Portanto, sinapses ficam em "espera", aguardando o cumprimento daquilo que foi afirmado. Nesse caso, tanto a mentira como a procrastinação (adiamentos) são fortes causas da perda de memória.

2. Há uma irradiação de energia dessa palavra para o universo. Como toda energia tem movimento (ondas), e como tudo o que emitimos acaba voltando ao mesmo ponto, o padrão de vibração que vai acaba retornando ao ponto de origem e trazendo de volta vibrações semelhantes para quem as emitiu, como um bumerangue. Semeou? A colheita acontecerá.

Sejamos, então, vigilantes com relação às palavras que pronunciamos, compreendendo que, quando a palavra vale menos do que o silêncio, é preferível o silêncio. E se cada palavra emitida é uma energia, quanto menos falarmos desnecessariamente, mais energia, mais poder, teremos ao pronunciá-la, compreendendo a sabedoria que também pode vir com o silêncio.

Portanto, meditar, refletir e estar em silêncio é um tipo poderoso de exercício cerebral.

✺ Capítulo 3 ✺
As Inteligências e a Consciência

Nós somos o que pensamos.
– Hipócrates

1. O que é inteligência?

Em nosso mundo, você só ganha poder sobre algo quando esse algo passa pela percepção da mente lógica e da analógica, ou seja, quando todo o contexto é levado para o consciente. Assim, basicamente, inteligência é a capacidade de encontrar a melhor solução para um determinado desafio no menor tempo possível. Isso significa flexibilidade, versatilidade, criatividade e adaptabilidade, associadas a uma boa lógica, com foco na realidade consciente.

Entretanto, esse conceito se amplia cada dia mais. Hoje, diz-se que a inteligência deve ser plural e não singular, e não se mede ou quantifica a inteligência como antigamente. Não importa mais *quanto*, mas *como* se é capaz. A inteligência não passa só pelo cognitivo, ela inclui o afetivo, o emocional, o corporal, resultando numa combinação harmoniosa de vários aspectos e perspectivas. Enfim, ser inteligente é responder de maneira adequada aos desafios da vida, seja qual for o contexto em que se esteja inserido.

As múltiplas inteligências

A primeira grande "sacada" sobre uma inteligência mais plural aconteceu quando a psicologia identificou a inteligência emocional, um tipo de inteligência que apresenta uma habilidade, uma capacidade de perceber, avaliar e controlar as próprias emoções, as dos outros e as dos grupos. O conceito foi introduzido e definido por John D. Mayer e Peter Salovey, em 1985, mas foi popularizado por Daniel Goleman, a partir de 1995.

A **inteligência emocional** ou **afetiva** é aquela que nos permite conviver com as nossas emoções, com as nossas frustrações e com todos os nossos relacionamentos. É por meio dela que desenvolvemos as crenças, o diálogo interior, a autoestima, a autoimagem positiva e a capacidade de nos relacionarmos de modo eficiente e agradável (empaticamente) com a vida e com as demais pessoas.

O QI ou quociente de inteligência se torna uma grande bobagem, porque, sob sua perspectiva, os gênios só são gênios em uma determinada área. Garrincha tinha inteligência corporal; Oscar Niemeyer, inteligência espacial; Mozart, inteligência musical; e Oswald de Souza, inteligência lógico-matemática.

Mais recentes ainda são os conceitos de **inteligência social** ou **coletiva**, que valorizam quanto o indivíduo está comprometido com o ecossistema e com a sustentabilidade da Terra.

Diante da crise ecológica mundial, precisamos nos perguntar: Como nos relacionar com o planeta para preservá-lo e garantir a existência de todos os seres que vivem nele? A resposta para essa pergunta está diretamente relacionada com a inteligência coletiva. É preciso que conservemos as condições de vida dos que vivem no presente e as dos que vão viver no futuro. É preciso que tenhamos respeito e solidariedade por todos os companheiros de vida e aventura terrena, humanos e não humanos. É preciso que cuidemos para que todos possam continuar a existir e a viver, já que todo o universo se fez cúmplice para que tudo existisse e chegasse até o presente.

A partir dos anos 1980, surge uma teoria desenvolvida por uma equipe de pesquisadores da Universidade Harvard, liderada pelo psicólogo Howard Gardner, que identifica oito tipos de inteligência. Essa teoria teve grande impacto no início dos anos 1990, e tem sido muito usada para direcionar potenciais profissionais. Os oito tipos de inteligência são:

1. Lógico-matemática: capacidade de analisar problemas, operações matemáticas e questões científicas.
2. Linguística: sensibilidade para a língua escrita e falada.
3. Espacial: capacidade de compreender o mundo visual de modo minucioso.
4. Musical: habilidade para tocar, compor e apreciar padrões musicais.
5. Físico-cinestésica: potencial de usar o corpo para a dança, para os esportes.
6. Intrapessoal: capacidade de conhecer a si mesmo, como é o caso dos meditadores, escritores, psicoterapeutas e conselheiros.
7. Interpessoal: habilidade de entender as intenções, motivações e desejos dos outros, como é o caso dos bons políticos, religiosos e professores.

8. Naturalista: sensibilidade para compreender e organizar os padrões da natureza, como os paisagistas, os biólogos e fitoterapeutas.

Com base nos padrões modernos da neurociência e, principalmente, no estudo das funções das três regiões do cérebro (reptiliano, sistema límbico e neocórtex), a dra. Elaine Austin, de Beauport, especialista em educação e desenvolvimento humano pela Universidade Farleigh Dickinson (Nova Jersey, Estados Unidos), propõe uma série de tipos de inteligência e os agrupa segundo a região cerebral em que se originam.

Inteligências mentais ou originadas no neocórtex

- Inteligência racional: utiliza a razão para conectar os pensamentos de maneira sequencial e lógica.
- Inteligência associativa: raciocina por meio de conexões, sobrepondo dados e criatividade.
- Inteligência espacial: percebe informações por meio de imagens ou sons, podendo visualizar ações antecipadamente.
- Inteligência intuitiva: manifesta-se como conhecimento espontâneo, sem interferência da razão.
- Inteligências emocionais ou originadas no sistema límbico.
- Inteligência afetiva: manifesta-se pela capacidade de se colocar socialmente da melhor forma emocional e afetiva, com equilíbrio.
- Inteligência dos estados de ânimo: manifesta-se por uma sensibilidade que vai do prazer à dor e pela maneira como essa sensibilidade interfere nas ações.

- Inteligência da motivação: manifesta-se no reconhecimento de anseios e desejos, no impulso para conquistá-los e na maneira como isso se reflete nas ações.

Inteligências do comportamento ou originadas no cérebro reptiliano

- Inteligência básica ou instintiva: manifesta-se na capacidade de aproximar-se ou distanciar-se de algo ou de alguém de maneira espontânea.
- Inteligência dos padrões: permite reconhecer as variáveis que condicionam o comportamento humano, possibilitando aceitá-las ou modificá-las.
- Inteligência dos parâmetros: identifica ritmos e rotinas, permitindo proteger determinadas áreas da vida como um modo de preservação da ordem, da segurança e do bem-estar pessoal. A capacidade de viver rotineiramente ou de mudar o ritmo da própria vida caracteriza o uso desse tipo de inteligência.

E, para finalizar, integrando todas essas inteligências, considero importante ressaltar a **inteligência existencial ou espiritual**, a inteligência filosófica e científica, que depende de sabermos usar a capacidade humana do sentir, pensar, refletir, estudar, discernir, planejar e agir fazendo uso de potenciais e possibilidades reais, e evitando ilusões e expectativas falsas, que sempre acabam em ansiedade, frustração e fracasso.

Essa inteligência está sempre buscando ficar alerta às mensagens da **mente superconsciente**. Mas, como ressaltavam os antigos cabalistas, essa mente é inacessível em um corpo sedentário, que cultiva vícios, não respira a natureza ou não pratica a arte budista do silêncio. Bem, as atitudes de sabedoria!

2. Os sete estágios da consciência

A consciência é uma só, mas ela se manifesta em vários estágios, como se fosse uma expansão que acontece em sete etapas. Quando a mente consciente se manifesta, em cada estágio as ondas cerebrais têm uma frequência diferente. Tudo no universo está em movimento, em constante vibração (que se propaga em ondas), o que significa que tudo se inter-relaciona por meio de uma vibração característica.

Como todos os sete estágios da consciência estão presentes no ser humano, ainda que em estado de latência (mente subconsciente), a questão não é em que estágio a mente consciente está, mas em qual ela está funcionando **no momento**, ou seja, qual é a sua possibilidade **agora**. Porque daqui a um instante ela pode estar sintonizada em outra frequência, dependendo das suas escolhas, decisões, comprometimentos, estado de presença.

Todos nós oscilamos entre esses sete estágios. A maior parte do tempo, sem a capacidade (maturidade) para estar ali com a frequência e a intensidade que desejamos. Num dia só, podemos ficar com medo de não ter dinheiro no futuro e não ter onde morar (o medo do primeiro estágio), depois de uma hora ter medo de ficar sozinho (o medo básico do segundo estágio) e mais adiante ter medo de perder o controle da vida ou sentir uma profunda falta de confiança diante de tudo (terceiro estágio).

Meu convite é que você conheça todos esses estágios para poder refletir sobre eles e observar como a mente (inconscientemente) reage diante dos outros e dos acontecimentos. Em cada estágio, a mente consciente percebe o mundo de uma maneira. Aquele que enxerga o mundo com os olhos do amor e da compaixão, abriu seu coração e está funcionando do quarto estágio para cima. A pessoa que está só com medo da vida, sentindo-se separada da sua fé, desamparada e solitária, está sintonizada nos três primeiros estágios. Mas todos são apenas estágios mentais, não são realidades (necessariamente) ou fixos.

A grande questão é perceber que estágios predominam em seus hábitos e atitudes. É natural que cada um deles predomine num determinado momento. O universo é inteligente. Você já notou que seu cabelo cresce sem você controlar? E que sua unha cresce, seu sangue circula, sua respiração acontece independentemente da sua escolha? O universo é mágico e surpreendente. Quantas coisas estão acontecendo e não estão sendo feitas por nós conscientemente? Por que achamos, então, que podemos controlar tudo o que acontece ao nosso redor?

Cada estágio tem sua função e é perfeito em si mesmo. Ao longo da evolução, passamos por esses vários estágios. Precisamos conhecê-los e reconhecê-los em nós, pois todos são importantes, são etapas de construção e sustentação na expansão da consciência.

Não devemos nos julgar por sentir medo. Segundo o Taoismo, precisamos do medo para conhecermos o seu oposto, que é o amor. Como conhecer o sutil sem conhecer o denso? Como conhecer o alegre sem conhecer o triste? Como conhecer o sucesso sem conhecer o fracasso? Se você não tem o contraste, não consegue perceber as coisas. Sem os três primeiros níveis de consciência, não é possível conhecer os demais. É do medo que nasce o amor, da desesperança que nasce a gratidão.

Os sete estágios

O **primeiro estágio** da consciência humana é caracterizado pela **sobrevivência**. Um teto onde morar, algo para comer. É a base para a formação do ser humano. Um corpo sadio e saudável.

O **segundo estágio** da consciência é caracterizado pelo **desejo de sexo e poder**. O desejo de dominar, competir e ter sexo pelo sexo. Não há o encontro entre dois seres, apenas o encontro entre dois corpos. Se, para preencher seu vazio, a pessoa precisa estar sempre no controle de tudo, ela estará funcionando a partir do segundo nível de consciência. A mente vive sob o império do medo nesse estágio: medo de perder o controle, medo de não possuir o outro, medo de perder o poder.

O **terceiro estágio** é marcado pelos **relacionamentos**. Relacionamentos mais profundos que no segundo estágio porque, agora, além do sexo, há ternura, carinho, amor, atenção e cuidado. É claro, há também posse, controle, inveja, ciúme e infinitas possibilidades a mais que o segundo estágio. A grande maioria dos relacionamentos de amor que conhecemos está nesse estágio; trata-se de uma marcante troca de emoções e sentimentos que variam entre bons e desagradáveis.

O **quarto estágio** é o **amor**. Aqui, a consciência humana experimenta o amor. Esse estágio não é uma alternância entre amor e ódio, amor e medo. É Amor com letra maiúscula. Nesse estágio, funcionamos em uma entrega à vida. Enxergamos a vida como um milagre. Há vislumbres do amor que as pessoas são, porque, quando a mente consciente está funcionando nesse quarto estágio, muitos problemas e dificuldades desaparecem e outros acontecem para confirmar e testar o aprendizado, a evolução.

É um engano pensar que podemos evitar nossos desafios. Os desafios não desaparecem e, mais do que isso, eles são os portais da transformação. Sem enfrentá-los, sem superá-los, não chegamos aos estágios mais elevados de consciência. Na verdade, o que acontece é que, em um estágio de consciência mais elevado, mudam os prismas, muda a óptica. Surge uma nova maneira de perceber os fatos, as vibrações, e a certeza de saber lidar com todos os desafios. Existe a certeza incondicional de que somos todos amparados.

Quando a percepção da mente consciente muda, tudo é visto de outra maneira, porque o mundo e a vida são o conjunto de crenças e sentimentos pessoais que temos sobre o mundo e a vida. Aquilo que penso ou sinto é minha percepção. Mas existem outras maneiras de escutar, enxergar e sentir as mesmas coisas.

O quarto estágio de consciência é muito frágil. Nele ainda é fácil nos identificarmos com os problemas e conflitos dos três primeiros estágios.

Os estágios são regidos por emoções, sentimentos e pensamentos (medo, amor, culpa, ansiedade, leveza etc.), que são como filmes e diferenciam um estágio da mente de outro. Mas quem é você? Um estágio da consciência ou aquele que percebe que é preciso atingir esses estágios?

Se você perceber que os estágios se alternam e que você se identifica ora com um, ora com outro, haverá uma nova percepção de sua identidade. Se você é aquele que vê o filme, aquele que nota que os estágios mudam, você é a pura consciência que percebe. Essa pura consciência que percebe é o *observador*. A prática da meditação é o início da chegada a esse novo ponto de vista.

No **quinto estágio** da mente consciente, há um **observador** que se identifica com a **mente**. Ou seja, você percebe que há algo em você que observa e que não é aquilo que observa. Esse observador foi chamado por algumas religiões de Espírito Santo.

Quando percebe que esse observador é você, e você não é quem pensava que era (o ator dos três primeiros estágios), então você toma consciência do quinto estágio, que é pura observação sem julgamento, pois não há conceitos a serem julgados nesse estágio, somente a serem observados.

O quinto estágio encara os quatro primeiros sem julgar, comparar, analisar, comentar, opinar, usar lógica ou argumentar. Nele, só existe a pura observação. É a prática da meditação em essência. Os mestres espirituais, os sábios e nós, buscadores do poder pensante, procuramos aprender a observar os pensamentos, as emoções, os sentimentos e as sensações corporais sem julgá-los, sem atribuir-lhes valores de bom ou mau, e a isso chamam de meditação.

Quem julga são os quatro primeiros estágios. É a mente consciente que necessita comparar o tempo todo, pois é o espaço do ego ativo. Se você apenas observar a mente julgando, vai aprender lentamente a separar o julgador do observador, que somente percebe o julgador atuando.

Quando aprendemos que quem está julgando é a nossa mente, e que o quinto estágio é puro silêncio e está cheio de amor, percebemos que pensamentos e sentimentos só incomodam quando nos identificamos totalmente com eles.

Aprender a se desidentificar dos pensamentos e dos sentimentos desagradáveis só é possível por meio da meditação. Os pensamentos e os sentimentos estão lá, mas não são mais controlados pelo ego. E um milagre acontece: toda aquela energia dissipada pelo desequilíbrio emocional e que estávamos desperdiçando é preservada. É por isso que as pessoas dizem que o yoga e a meditação ajudam a conservar energia. A mente fica mais clara e deixa de criar problemas desnecessários.

Dizem os sábios que o **sexto** e o **sétimo estágios** são vivenciados pela **graça divina**. "Você não pode fazer nada para alcançar a iluminação", dizia Buda, porque a iluminação é uma entrega total ao Divino. Jesus Cristo se entregou totalmente quando disse: "Pai, seja feita a Tua vontade". Buda Gautama também se entregou quando disse: "Descobri que não existe um eu, que tudo é vazio, que a vida faz tudo por mim". Krishnamurti dizia: "O pensamento é passado. Descubra o que está presente Agora". Osho disse: "A iluminação acontece quando não há nenhum desejo de ser diferente do que você é. Então Deus o ilumina com sua Graça quando você relaxa e confia". O sábio Gurdjieff dizia: "Você não tem um centro. O centro é sua alma. Você é, nesse instante, muitos desejos desconexos. Você tem de trabalhar para descobrir seu centro". O sábio hindu Yogananda dizia: "Só um coração que conhece o amor pode ver Deus".

Os mestres iluminados desaparecem como um *eu*, porque não querem mais controlar a vida. Eles conhecem os estágios da consciência e não se identificam com nenhum deles, pois sabem que são puramente consciência, além de qualquer estágio. Uma mente consciente que observa.

Um mestre iluminado vê a vida como uma grande brincadeira cósmica. Vê a unidade de tudo e não julga aquilo que vê; nota que todas as pessoas são iluminadas e que apenas precisam transformar o potencial em realidade.

3. Inteligência artificial, trans-humanidade e a singularidade tecnológica

Não é possível falar de inteligência nos dias de hoje sem mencionar a inteligência artificial e todas as consequências e impactos que ela traz ao ser humano, ao mundo, à sociedade, às relações, ao trabalho e ao dia a dia.

O fim do mundo como conhecíamos

A velocidade vertiginosa das mudanças tecnológicas dos últimos cinquenta anos já transformou para sempre as nossas vidas. Em muito pouco tempo, indústrias inteiras foram alteradas, finanças, empregos, comércio, turismo, medicina, educação, nossa privacidade não são mais os mesmos. E para onde quer que direcionemos nosso olhar, vemos uma transformação profunda nunca imaginada, e mais: sem retorno.

Nesse ritmo acelerado das tecnologias digitais e móveis, a inteligência artificial já começou a reorganizar o mercado de trabalho e as estruturas tradicionais de emprego. Isso, por si só, já deixa qualquer um inquieto, mas os especialistas calculam que, nas próximas décadas, as máquinas poderão ocupar em média 50% das vagas de emprego, incluindo funções administrativas, de escritório e de produção.

É natural, então, nos perguntarmos sobre nosso futuro e tentar imaginar e planejar nossa sociedade para os próximos anos. Qual deverá ser a atitude correta, onde devemos colocar hoje o esforço para enfrentar esse futuro sem sucumbir e, pelo contrário, maximizar as transformações que estimulem nosso progresso como indivíduos e como espécie?

Zygmunt Bauman (1925-2017), destacado sociólogo e filósofo contemporâneo que desenvolveu o conceito da "Modernidade Líquida", que trata da fluidez das relações em termos socioculturais em nosso mundo contemporâneo, reconhece que todas as estruturas concretas e previsíveis da nossa sociedade hoje tornam-se líquidas, imprevisíveis e mutáveis em um estalar de dedos, ano após ano, de forma vertiginosa.

Na verdade, a tecnologia integrada que hoje nos surpreende está se tornando invisível e onipresente, como o ar que respiramos. Quase sem percebermos, já vivemos com ela permanente e progressivamente em nossos trabalhos, em nossas viagens pelas cidades, em nossos carros e em nossos lares.

Hoje, temos vários acessórios, como pulseiras, relógios e os mais incríveis celulares, integrando a internet com nosso corpo, inclusive com nosso cérebro. E tudo isso, de forma clara e precisa, ligada a essas enormes transformações, faz a nossa imaginação disparar além do que parece ser possível com o que possuímos hoje em dia em termos de tecnologias ligadas ao desenvolvimento e à evolução. A inteligência artificial pode ser a maior invenção da humanidade, assim como o princípio de seu fim.

Transcendendo nossa humanidade biológica

Mas inteligência artificial não significa só robôs e computadores substituindo pessoas em seus empregos. Imagine nosso cérebro ligado a uma inteligência artificial, possibilitando nossa coexistência na internet e amplificando nossas possibilidades evolutivas a limites assustadores. Estamos falando do **trans-humanismo**, um movimento intelectual que prega que podemos transcender a nossa humanidade biológica por meio de diversas formas de tecnologias, e que o aprimoramento do organismo humano pode ser de tal forma revolucionário que já não mais poderíamos ser chamados de seres humanos, mas sim de trans-humanos.

Isso significa que, com a ajuda da tecnologia, será possível realizar modificações físicas em nosso corpo por meio do uso de diversos tipos de tecnologias para ampliar e melhorar a nossa condição humana e, assim, alcançar padrões mais avançados de nossas habilidades naturais, conseguindo, inclusive, alcançar a imortalidade, um salto evolucionário que nos faria entrar em uma nova era como espécie, jamais sonhada e sem limites para a vida como a conhecemos.

Computadores mais inteligentes que humanos

Mesmo que a imortalidade seja uma hipótese provável somente para poucos escolhidos de uma elite que tenha condições para pagar por essas tecnologias, há ainda o que alguns teóricos estão chamando de **Singularidade tecnológica.**

O termo Singularidade tecnológica (*Technological Singularity*) foi cunhado por Vernor Vinge, um escritor norte-americano de ficção científica em um artigo publicado na *Omni Magazine* em 1983, intitulado "First Word", para dar nome a um conceito, em termos de ciência da computação e de estudos sobre inteligência artificial, que vinha evoluindo desde a década de 1960 para definir o momento em que os computadores se tornariam mais inteligentes que os seres humanos.

Alguns cientistas acreditam que a Singularidade tecnológica pode surgir até 2045, quando então será possível que os computadores se tornem mais inteligentes do que nós, humanos, e que eles se tornem autoconscientes. Essa hipótese é tão plausível que merece ser levada a sério, tanto na estimativa quanto no planejamento de possíveis respostas que devemos ter em relação a ela. E isso somado ao surgimento dos seres trans-humanos não apenas revolucionaria a ciência como a conhecemos, como também a nossa concepção sobre o que é vida e o que é inteligência.

De qualquer forma, ainda estamos muito longe desse tipo de inteligência artificial, que, além de realizar tarefas, poderá estar ciente de si mesma, mostrando bom senso e capacidade de fazer julgamentos de valor e autoanálise, ou seja, saber que tem existência. Contudo, precisamos ouvir o que nos disse Stephen Hawking (1942-2018), físico teórico e cosmólogo britânico reconhecido internacionalmente por sua contribuição à ciência, sendo um dos mais renomados cientistas do século. Quando foi lançado o filme *Transcendence: A Revolução* (2014), que trata de temas ligados aos perigos que podem advir do surgimento da Singularidade tecnológica, Hawking alertou:

> O sucesso em criar [uma] inteligência artificial seria o maior evento na história da humanidade. Infelizmente, também pode ser o último, a menos que aprendamos a evitar seus riscos.

Quero lembrar, entretanto, o que a filosofia chinesa nos oferece em resposta, em sua grande sabedoria, para esses desafios, nas palavras de Confúcio:

> *Se você planeja para um ano, plante milho.*
> *Se você planeja para dez anos, plante árvores.*
> *Se você planeja para cem anos, eduque as pessoas.*
> – Confúcio

Dessa forma, corroboro com as vozes que advertem que a inteligência artificial só poderá superar a inteligência humana depois que o homem conhecer e dominar por completo a estrutura de seu próprio cérebro, situação que, dado o que foi exposto até aqui, me parece muito distante. Ainda que possamos vir a entender como funcionam todos os mecanismos do cérebro humano, a ponto de replicá-lo em termos de inteligência artificial, ao mesmo tempo o conhecimento profundo desse nosso órgão nos permitirá evitar o domínio da máquina. Assim, finalizo este capítulo pedindo que você reflita sobre os seguintes tipos de inteligência que possuímos:

- Emocional ou afetiva
- Social ou coletiva
- Existencial ou espiritual

A partir dos estudos sobre tais inteligências, na minha concepção de mundo, de vida e de consciência humana, são essas as que realmente nos fazem especiais e diferentes de outras formas de vida neste planeta. Em suma, são elas que nos tornam efetivamente humanos!

❧ Capítulo 4 ❧
Os Alimentos do Cérebro

Nós escapamos a um cérebro pequeno
porque inventamos a cozinha.
– Suzana Herculano-Houzel

Alimentar-se significa nutrir-se, hábito diário que envolve várias refeições com intervalos que podem ser de 3 a 4 horas (para crianças, atletas e convalescentes) ou um estilo de vida que inclua jejum intermitente. De qualquer modo, seu objetivo é suprir o organismo com todos os nutrientes básicos que dão sustentação à vida: os carboidratos (energia), as proteínas (construção celular), as gorduras nutricionais (equilíbrio hormonal), as vitaminas, as enzimas, os sais minerais, os antioxidantes e outros mais.

Isso é muito diferente de *comer*, que, segundo o dicionário, significa simplesmente colocar qualquer coisa goela abaixo. É uma grande diferença!

Nossas escolhas devem estar entre os alimentos, lanches ou refeições que proporcionam prazer e aqueles que visam a saúde e a consciência. É muito importante que nos conscientizemos disso, pois um prazer isolado advindo do ato de comer, sem levar em conta a qualidade da comida, não é uma atitude de sabedoria. Alimentar-se é fazer um *bem*, e nesse ato podemos nos deleitar com o prazer dos sabores, aromas e texturas naturais e, ao mesmo tempo, promover estados de saúde, lucidez e maior consciência.

Este livro não tem o propósito de ensinar ou sugerir receitas culinárias. Recomendo, para isso, a leitura de meus livros *Alimentação Desintoxicante, O Poder de Cura da Linhaça, De Bem com a Natureza* e *Cadê o Leite que Estava Aqui?*, nos quais há abundância de receitas de sucos, chás, lanches, sopas e refeições simples, práticas, amigáveis e muito saudáveis.

Aqui desejo discutir a alimentação do ponto de vista da saúde física, principalmente mental e cerebral, mostrando os melhores (e os piores) hábitos e alimentos que podemos ingerir para manter nosso cérebro bem nutrido para seu funcionamento ideal.

1. Alimentação consciente, alimentação desintoxicante, alimentação baseada em plantas

Analise: sua mente anda cansada, com preguiça de pensar, planejar e aprender? Pior: você vive tendo brancos, tendo que parar para pensar em coisas como "Para onde estou indo mesmo?"; "Sei que tenho que comprar algo, mas não lembro o que é..."; "Caramba, esqueci a panela no fogo!"; "Qual é mesmo o nome daquele ator?".

Bem, além de a vida estar mesmo com grande acúmulo de informações e compromissos, apesar de nem sempre tão construtivos, à medida que o ser humano envelhece pode experimentar uma série de problemas cognitivos, desde a diminuição do pensamento crítico até problemas de memória em diversos graus.

Pesquisas científicas constantemente relatam que essas perdas de capacidade mental estão cada vez mais precoces, mas a boa novidade é que esses e outros estudos acrescentam novos conhecimentos sobre o papel fundamental de uma alimentação adequada para o fortalecimento neurológico e a prevenção do declínio cognitivo.

A minha percepção é de que você está se esquecendo de colocar alguns alimentos no seu prato. Afinal, um cérebro saudável e vivo depende de uma alimentação consciente e revitalizante. Na verdade, o que você coloca no seu prato tem muito a ver com as suas crenças, como você cuida do seu ser e do planeta. Posso até afirmar que esse é um ato político!

Concordo com Eduardo Galeano quando ele diz que: "A soberania do viver começa pela boca!". Por isso, começaremos fazendo um resumo sobre os alimentos que podem ajudar a aumentar nossa lucidez, a capacidade de assumir nosso poder pensante e a soberania do viver. Entretanto, vale lembrar que nosso foco está na proposta de fazer uma alimentação **consciente, desintoxicante** e preferencialmente **baseada em plantas**.

Não acredite que um único alimento isoladamente tem o poder de resgatar a saúde de seu cérebro, do sistema nervoso ou do sistema imunológico. A alimentação consciente e balanceada, assim como a alimentação desintoxicante e baseada em plantas são propostas alimentares que dão sustentação à vida; por isso, mais que terapêuticas, são preventivas.

Optar por alimentos escolhidos e elaborados de modo consciente é um hábito que valoriza a vida e também respeita a natureza, pois leva em conta a diversidade de opções e as estações do ano.

Os neurobiólogos não param de realizar estudos, e todas as previsões sobre o futuro da alimentação humana são unânimes quanto à lista de alimentos que fortalecem as funções cerebrais, a famosa dieta à base de plantas. Mas é importante ressaltar que esses alimentos precisam ser produzidos em absoluta sintonia e respeito ao meio ambiente. Portanto, é algo sobre o qual tenho escrito muito nos últimos anos: sustentabilidade! Agricultura orgânica, agroflorestal, permacultura, biodinâmica e todo cultivo que seja bioético e ecossustentável. Que respeite o solo e toda a sua biota, as águas e lençóis freáticos, a fauna, a flora e o ar que respiramos.

Proteínas, gorduras nutricionais de origem vegetal, carboidratos, minerais e vitaminas, na dose certa e balanceados, manterão não só a saúde de todas as partes do organismo, como também a memória e todas as outras funções do nosso maestro: o cérebro.

Alimentos de origem vegetal, sementes e grãos integrais são os eleitos para a alimentação consciente. Bons exemplos são as saladas cruas, os legumes amornados ou grelhados, ensopados ou no vapor, o arroz integral feito com legumes à jardineira, as sopas e cremes de legumes e as frutas frescas ou secas.

A ingestão diária de sucos desintoxicantes, considerados verdadeiros "coquetéis da vida", é perfeita para uma higiene interna diária, que nos livra de todas as toxinas e venenos acumulados ao longo de anos. Desintoxicar-se diariamente é uma atitude de sabedoria. Todos os órgãos e sistemas agradecem pelo alívio da carga tóxica, inclusive o cérebro, que passa a se comunicar melhor com seus componentes e as demais células do organismo.

2. Os alimentos neuroprotetores

Os alimentos neuroprotetores são os agentes antioxidantes, como os bioflavonoides e os carotenos, presentes nas frutas cítricas, nas uvas (principalmente as escuras), nas frutas vermelhas (morango, amora e cereja), nas frutas amarelas (pêssego, caqui, mamão, manga e damasco) e na maçã. Quanto às hortaliças, insista nas de folhas escuras, como as couves, a bertalha e o espinafre. Também os carurus, beldroegas, serralhas, dentes-de-leão, as ramas (cenoura, beterraba, rabanete e nabo), as folhas de batata-doce (de abóboras e chuchus). Quanto aos legumes, aposte nas abóboras, na cenoura e na beterraba. Também em todas as parte da bucha (fruto, folhas, gavinhas e flores).

A vitamina E (tocoferóis) está presente nas sementes e nos óleos vegetais prensados a frio, como o de soja, linhaça, chia e girassol, assim como no germe de trigo. Minimize o consumo de óleos isolados (porque perderam sua alquimia), mas quando usar opte pelos prensados a frio. Mas dispense os óleos vegetais refinados industrializados, que além de isolados, são contaminados pelos agentes químicos usados em sua extração, e sempre oriundos de produção convencional (agrotóxicos e glifosatos).

3. Os alimentos regeneradores das células

A colina e a lecitina têm papel fundamental na composição da membrana gordurosa que reveste os neurônios. E as funções cerebrais de aquisição e armazenamento de novos dados exigem ainda mais colina, por causa da formação de novas células. Bem, muitos optam por não comer ovos, sendo possível fazer uso diário de suplementação alimentar com a lecitina isolada de soja orgânica (1 grama/dia).

A colina e a lecitina estão presentes também, em menor concentração, no germe de trigo, nas leguminosas (feijões) e no levedo de cerveja grau alimentar (pasteurizado para maior segurança alimentar). Está provado que o consumo de alimentos que contêm colina durante a gravidez e na fase de aleitamento influi beneficamente no desenvolvimento cerebral da criança.

4. Os alimentos que estimulam as conexões cerebrais

Os alimentos desse grupo contêm substâncias que facilitam a comunicação entre os neurônios, aumentando também a capacidade de pensar, de se concentrar, de aprender e de memorizar. É o caso da fisetina, que está presente nas frutas já citadas anteriormente.

As vitaminas do complexo B também facilitam a comunicação entre as células e tais substâncias são mais comuns em alimentos de origem animal como carnes, peixes, aves, vísceras, leite e derivados. Entretanto, a digestão das proteínas animais desencadeia elevada carga ácida no organismo, fato que acaba por anular seus bons benefícios. O mais indicado é concentrar-se no consumo dos alimentos de origem vegetal, idealmente crus, e, no caso das sementes, potencializá-las com a pré-germinação (deixar de molho por 8 horas em água filtrada). Por fim, o fósforo, que se encontra nos peixes, no germe de trigo e nas sementes de girassol e de abóbora.

Que o consumo de sementes ricas em sais minerais faz bem à manutenção das células cerebrais todo mundo já sabe. Nas frutas, por exemplo (mais precisamente no morango, no pêssego, na uva, no kiwi, no tomate, na maçã e também na cebola e no espinafre), encontra-se a fisetina, que segundo o Instituto Salk de estudos biológicos, na Califórnia (EUA), é fundamental para manter a memória "jovem", pois sua função é estimular a formação de novas conexões entre os neurônios e fortalecê-las.

Esse fenômeno pode ser explicado pelo fato de haver, nesses vegetais, quando frescos e crus, concentrados de compostos antioxidantes, que neutralizam os danos dos radicais livres no cérebro, melhorando a juventude, a sanidade das células e a capacidade delas de se comunicarem com todas as partes do organismo e de armazenarem informações.

Não obstante, na literatura especializada é infrequente encontrar informações sobre alimentos vegetais que forneçam nutrientes benéficos para o cérebro. Reforçando e priorizando os alimentos do reino vegetal que são produzidos em nossa região, na estação, com sistemas de cultivo que respeitam o meio ambiente, encontramos uma grande gama de substâncias, que são muito amigas do cérebro. Estudos realizados pela VP Consultoria Nutricional revelam que alimentos orgânicos e biodinâmicos costumam apresentar concentrações de fitoquímicos bastante presentes e mais elevadas, que em alimentos de cultivo convencional.

Com base em pesquisas recentes, apresentamos a seguir alguns dos alimentos mais importantes de origem vegetal, ricos em sustâncias de grande valor para o fortalecimento e a manutenção da saúde neuronal. Vamos conhecê-los.

Amaranto, amendoim e amêndoa

Estes alimentos têm em comum alto conteúdo de colina. A colina é um nutriente essencial, geralmente presente nas vitaminas do complexo B. Trata-se de uma amina natural encontrada nos lipídios e fosfolipídios presentes na membrana celular. A colina é a molécula precursora da acetilcolina, um neurotransmissor que está envolvido em muitas funções, incluindo a memória e o controle muscular. A deficiência de colina pode levar à doença hepática, arteriosclerose e, possivelmente, distúrbios neurológicos. Um dos alimentos de origem vegetal com maior teor de colina é o amaranto. A ingestão diária recomendada é de 550 mg para o homem adulto, 425 mg para a mulher adulta e cerca de 450 mg para a mulher durante a gravidez: um copo desse grão contém 135 mg de colina, equivalente a cerca dos 25% VD. Além do conteúdo de colina mencionado anteriormente (52 mg/100 g; 11% VD), as amêndoas são ricas em nutrientes como magnésio, vitamina E, ferro, cálcio, fibra e riboflavina. Uma revisão científica publicada na *Nutrition Reviews* descobriu que amêndoas podem também ajudar a manter níveis saudáveis de colesterol. As amêndoas têm mais fibra do que qualquer outra semente oleaginosa.

Castanhas-do-pará, nozes, linhaça e chia

As castanhas-do-pará são talvez as castanhas mais saudáveis do planeta. Ricas em proteínas e carboidratos, são também excelentes como fonte de vitamina B1 (tiamina), vitamina E, magnésio e zinco. Além disso, elas contêm uma grande quantidade de selênio, um mineral vital para manter a função da tireoide. Tem-se demonstrado que dietas suplementadas com nozes podem ter um efeito benéfico na redução do risco da doença de Alzheimer ou mesmo retardando o seu início ou desacelerando sua progressão. Sementes de linhaça e de chia são alimentos de origem vegetal com riqueza inquestionável de ácidos graxos da família ômega-3. Com elevado poder anti-inflamatório, modulador de pressão e da imunidade, há muito tempo que alimentos com riqueza de ômega-3 têm sido recomendados como benéficos para a boa saúde do coração e agora também têm mostrado um papel positivo na saúde cognitiva. Um estudo sobre a suplementação da alimentação com ácidos graxos poli-insaturados ômega-3 mostrou uma melhora no desempenho relacionado à memória espacial, à localização e ao reconhecimento de objetos.

Grãos integrais, gérmen de trigo e leguminosas

Grãos integrais, gérmen de trigo, arroz e ervilhas são exemplos de alimentos ricos em tiamina, uma vitamina solúvel em água, também conhecida como vitamina B1. Isolada e caracterizada na década de 1930, a tiamina foi um dos primeiros compostos orgânicos reconhecidos como vitamina. A tiamina está envolvida em várias funções enzimáticas associadas ao metabolismo dos carboidratos, aminoácidos de cadeia ramificada e ácidos graxos. A deficiência grave de tiamina leva ao beribéri, uma doença que afeta múltiplos sistemas orgânicos, incluindo o sistema nervoso central e periférico. Outra consequência grave da falta de tiamina é a síndrome de Wernicke-Korsakoff que causa alterações persistentes na formação da memória, além de sintomas relacionados à encefalopatia. Uma dieta variada deve fornecer para a maioria dos indivíduos a quantidade adequada de tiamina e assim prevenir sua deficiência. A ingestão dietética de tiamina recomendada para homens adultos jovens é de cerca de 2 mg/dia, e de 1,2 mg/dia para mulheres adultas jovens. Fontes adequadas de tiamina são os cereais integrais, as leguminosas (feijões e lentilhas), nozes e a levedura (grau alimentício). É importante frisar que, entre os grãos integrais, o gérmen de trigo, além de ser uma boa fonte de fibras, é rico em vários nutrientes funcionais, como vitamina E, ácido fólico (folato), tiamina, zinco, magnésio, fósforo, além de álcoois e ácidos graxos essenciais.

Aveia integral

O interesse dietético pela aveia tem aumentado consideravelmente nos últimos vinte anos por seus vários benefícios para a saúde. A aveia é rica em carboidratos complexos, bem como fibras hidrossolúveis, que regulam a digestão, a excreção, estabilizam os níveis de glicose no sangue e ajudam a diminuir o colesterol. Além disso, a aveia apresenta altos teores de vitaminas do complexo B, ácidos graxos da família dos ômega, inclusive ômega-3, folato e potássio. Em 1997, a Food and Drug Administration (FDA – agência ligada ao departamento de saúde dos EUA) determinou que alimentos com altos níveis de aveia ou farelo de aveia poderiam incluir nos rótulos dados sobre seus benefícios cardiovasculares se acompanhados de uma dieta com baixo teor de gordura.

Couves, cebola, salsinha e PANCs

As Plantas Alimentícias Não Convencionais (PANC), como carurus, bertalhas, beldroegas, serralhas, dentes-de-leão, manjericões, ramas (cenoura, beterraba, rabanete e nabo), folhas de batata-doce, abóboras e chuchus, além das couves de todos os tipos, cebola e salsinha, são muito importantes por fornecerem uma série de nutrientes e suplementos naturais e devem ser consumidas em abundância.

Cacau e chocolate amargo

Os amplamente difundidos flavonoides são na verdade uma das classes de compostos mais abundantes no reino vegetal. Geralmente ocorrem nas partes aéreas de plantas em diferentes ecossistemas do mundo todo, estando ausentes apenas em organismos marinhos. Flavonoides dietéticos ocorrem naturalmente em frutas, legumes, chocolate e bebidas como vinho e chá. Há um interesse crescente nos potenciais benefícios para a saúde proporcionados pelos flavonoides associados a dietas ricas em frutas e vegetais. Muitos dos efeitos biológicos dos flavonoides parecem estar relacionados à sua capacidade de modular várias cascatas de sinalização celular. Tem-se demonstrado, em diferentes mecanismos de ação *in vitro* e em modelos animais, que os flavonoides exibem atividades anti-inflamatórias, antitrombogênicas, antidiabéticas, anticancerígenas e neuroprotetoras. Mais de 5 mil compostos flavonoides que ocorrem na natureza têm sido descritos e classificados a partir de suas estruturas químicas. O assunto é extremamente extenso, porém, com a facilidade oferecida pela internet atualmente, é possível encontrar ampla informação sobre esses compostos, necessidades e efeitos na dieta e na saúde humana.

O cacau é um alimento bem conhecido por sua riqueza em flavonoides e consequente importância na função cognitiva. Inflamação, estresse oxidativo e acúmulo de metais de transição parecem desempenhar um papel na patologia de várias doenças neurodegenerativas, incluindo Parkinson e Alzheimer. Portanto, as várias propriedades dos flavonoides, incluindo o seu papel na proteção da saúde vascular, podem ter efeitos benéficos no cérebro, possivelmente na proteção contra doenças cerebrovasculares, deficiências cognitivas e subsequentes AVC (acidente vascular cerebral) e demências generalizadas. Os flavonoides do cacau e seus metabólitos demonstraram, em modelos animais de envelhecimento normal e patológico, atravessar a barreira hematoencefálica e exercer efeitos preventivos em relação às deficiências cognitivas.

Abacates e bananas

Estes alimentos se caracterizam pelo alto teor de magnésio, elemento que, além da conhecida importância na constituição dos ossos e participação em diversas reações bioquímicas, é muitas vezes recomendado no período de recuperação para pessoas que sofreram concussões graves.

Mirtilos, frutas vermelhas e frutas cítricas

Conhecidas por terem ação antioxidante e anti-inflamatória, possuem alta concentração de antocianinas, um flavonoide que eleva a potência da qualidade dos alimentos benéficos para a saúde. O consumo moderado, mas frequente dessas frutas – respeitando sua estação e pertencimento ao bioma no qual você reside, ou seja, evite frutas importadas – pode oferecer benefícios cognitivos, como o aumento da sinalização neural nos centros cerebrais. Aqui as frutas PANC também precisam ser lembradas e reconhecidas como superalimentos. Temos as amoras, as framboesas silvestres, a seriguela, o *physalis* (*golden berry*), as pitangas, pitaias e uvaias.

Morangos, maçãs, caqui, cebola e pepino

Essas frutas, e outros vegetais, contêm fisetina, um composto químico que pertence à conhecida e benéfica família dos flavonoides. Encontrada em muitas plantas, serve como agente corante amarelo. Um estudo recente mostrou que a fisetina tem um efeito benéfico na memória de longo prazo, pois sua função é estimular e fortalecer a formação de novas conexões entre os neurônios.

Cúrcuma (açafrão da terra)

A cúrcuma é uma especiaria, planta tropical membro da família do gengibre. A parte utilizada da planta é o rizoma (caule parcial ou totalmente subterrâneo, horizontal, com reservas, capaz de formar raízes, folhas, flores e frutos). A cor amarela alaranjada brilhante da cúrcuma vem principalmente de pigmentos polifenólicos solúveis em gordura, conhecidos como curcuminoides. A curcumina, o principal curcuminoide encontrado na cúrcuma, é geralmente considerado seu constituinte mais ativo. A cúrcuma é mencionada com frequência em diversos estudos que apontam seus benefícios, entre eles, atividade anti-inflamatória, ação antioxidante, redução do nível de glicose no sangue em pacientes com diabetes, redução de fatores de risco associados a doenças cardiovasculares, tratamento da doença de Alzheimer e prevenção de câncer. É importante ressaltar que seu consumo deve estar associado a uma porção mínima de pimenta-do-reino preta, que vai potencializar a absorção da curcumina.

Minerais e vitaminas fundamentais

Montei aqui um resumo dos minerais e vitaminas fundamentais para a saúde, suas propriedades e os principais alimentos em que são encontrados. Quando você estiver montando sua lista de compras, ficará fácil lembrar o que não pode faltar no seu prato em termos nutricionais:

- **Zinco, Selênio, Ferro e Fósforo** – sais minerais que participam de inúmeras trocas elétricas e mantêm o cérebro acordado e ativo (elétrico). Estão presentes em todas as sementes e grãos, em raízes e nas folhas verde-escuras.
- **Ácido cítrico** – substância que participa ativamente do Ciclo de Krebs ou Ciclo do Ácido-Cítrico, no qual representa um papel fundamental na respiração celular e na geração da energia humana. Presente em todas as frutas ácidas, mas sua maior concentração (5% a 7%) está nas diferentes variedades de limão.
- **Vitamina E** – tem ação antioxidante. Presente em todas as sementes e grãos, bem como em óleos vegetais prensados a frio.

- **Vitamina C** – tem ação antioxidante. Presente nas sementes frescas e cruas que foram pré-germinadas, assim como na maioria das frutas.
- **Vitaminas do complexo B** – regulam a transmissão de informações (as sinapses) entre os neurônios. Presente nas sementes e nas fibras dos alimentos integrais.
- **Bioflavonoides** – polifenóis com forte ação antioxidante. Além das sementes, são encontrados também no limão, nas frutas cítricas, na uva e nas folhas verde-escuras.
- **Colina** – participa da construção da membrana de novas células cerebrais e na reparação das já lesadas. Presente em todas as sementes e grãos, bem como em óleos vegetais prensados a frio.
- **Acetilcolina** – neurotransmissor fundamental para as funções de memorização no hipocampo. Presente em todas as sementes e grãos, bem como em óleos vegetais prensados a frio.
- **Fitosteróis** – estimulante poderoso do sistema de defesa do organismo, que reduz a proliferação de células tumorais, infecções e inflamações. Presente em todas as sementes e grãos, bem como em óleos vegetais prensados a frio.
- **Fosfolipídeos (entre eles a lecitina)** – funcionam como um detergente, "desengordurando" todos os tecidos por onde passam. Além disso, participam da recuperação das estruturas do sistema nervoso e da memória. Presente em todas as sementes e grãos, bem como em óleos vegetais prensados a frio.
- **Ômega-3** – funciona como um anti-inflamatório poderoso, evitando a morte dos neurônios. As principais fontes são os peixes de águas frias e profundas (não de cativeiro), as sementes de linhaça e de prímula, e as beldroegas.

Não deixe faltar na despensa

- **Leguminosas**: ervilha, lentilha, grão-de-bico, feijão-branco, feijão guandu, feijão azuki e os demais.
- **Sementes cruas, inteiras (nada de farinhas e quireras) e sem sal**: linhaça, gergelim, girassol, abóbora, castanha-do-pará, castanha-de-caju, noz-pecã e macadâmia. Lembre-se também das sementes da melancia, do pepino e do melão, sempre tudo orgânico.
- **Frutas**: limão e as demais cítricas, uva, maçã, kiwi, pêssego, morango e outras frutas vermelhas (principalmente as PANC), abacates, tomate-cereja e azeitonas.
- **Cereais integrais**: arroz, aveia e trigo-sarraceno, bem como o gérmen de trigo.
- **Verduras**: todas as folhas de cor verde-escura, como todas as couves (couve-manteiga, couve-flor), a bertalha, o brócolis, o espinafre e a rama da beterraba e da cenoura.
- **Folhas e raízes**: principalmente dos vegetais de cores vivas, como a cenoura, a beterraba, a abóbora, a cebola e a cebolinha, e raízes de outras plantas comestíveis.

5. Os alimentos que comprometem a saúde do cérebro

Procure fugir de alimentos que causam picos glicêmicos no sangue, pois eles aumentam a taxa de glicose na corrente sanguínea e no cérebro, fazendo subir os níveis de produção de insulina e de ácido aracdônico, grandes responsáveis pelos processos inflamatórios, que aceleram o envelhecimento e a morte das células cerebrais. São eles o açúcar, principalmente o refinado, as massas e os cereais refinados, a batata-inglesa e os doces em geral.

Do ponto de vista metabólico, sabe-se que logo após os picos glicêmicos gerados pelo consumo excessivo de açúcar e amidos, são inevitáveis os quadros de hipoglicemia, que é a queda vertiginosa do teor de glicose no sangue. Essa situação desarticula todas as funções sensoriais do cérebro, assim como a sua produtividade, o seu poder de comunicação interna e a sua capacidade de armazenar dados. Tanto isso é verdade que a reação natural de um cérebro em estado de hipoglicemia é o sono, ou seja, tudo entra em ritmo lento.

Observadora inveterada, convivendo com minha mãe portadora de Doença de Alzheimer, percebi, assim como os profissionais especializados que dela cuidam (neurologistas e geriatras), a avidez compulsiva por açúcar que manifestam os portadores dessa doença. Muitos estudos têm sido publicados na última década mostrando que a Doença de Alzheimer representa fundamentalmente uma patologia metabólica, com prejuízo na produção energética e utilização da glicose pelo cérebro. Tanto é assim que já se considera o Alzheimer como o diabetes tipo 3.

Outros alimentos problemáticos são os leites de origem animal e derivados, por causa da caseína. No meu livro *Cadê o Leite que Estava Aqui?* (Doce Limão, 2017), relato a ação da caseína, a proteína presente nos leites animais e em todos os seus derivados, que é pró-inflamatória do pâncreas, comprometendo e provocando quadros agudos e crônicos se o consumo for frequente. Se for exagerado, então, as consequências podem ser piores, com o desencadeamento de diabetes, seja ela do tipo 1 (em crianças), e dos tipos 2 ou 3. Portanto, evite os leites e laticínios de origem animal.

Evite também as drogas, pois elas geram produção massiva de radicais livres, como é o caso do cigarro e do álcool. O café e os alimentos muito processados e aditivados também geram radicais livres no organismo, e esses compostos químicos são especialistas em destruir neurônios e outras células do organismo.

Por último, evite as frituras e as gorduras de origem animal, que tornam as membranas celulares rígidas e pouco porosas, inviabilizando a fluidez e a qualidade das trocas químicas e eletroquímicas, relacionadas tanto à nutrição como à limpeza orgânica, à desintoxicação e à comunicação celular e neuronal.

6. O jejum e seus benefícios

A alimentação equilibrada e rica em nutrientes é fundamental para uma boa saúde. Porém, o conhecimento milenar revela que a privação de alimentos, ou seja, o jejum feito de forma controlada e consciente, pode ativar os mecanismos corporais de autodefesa das células, o que lhes garante maior longevidade, promovendo a cura e a renovação dos órgãos e sistemas, de forma integrada e generalizada.

Não tome isso como uma promessa, mas limpeza e felicidade andam juntas. Purificação e espiritualidade também formam uma dupla desde sempre. Um organismo que se mantém livre de impurezas está em pleno potencial de expansão, aprendizado e crescimento. Já mencionei diversas vezes sobre a importância da desintoxicação e raramente toquei na palavra jejum, que já vem carregada de preconceito, pois as pessoas pensam que isso significa passar fome. Mas jejum não significada nada relacionado a isso.

O médico Gabriel Cousens, em seu livro *Nutrição Evolutiva* (Editora Alaúde, 2011), fala sobre o jejum e seus benefícios:

> O jejum é uma forma acelerada de restrição calórica, que diminui o estresse físico do excesso de demanda digestiva, juntamente com a redução das tensões emocionais, psicológicas, espirituais e do estresse ambiental. O jejum espiritual é o ajuste ideal para ativar a regeneração e juventude dos genes... *amadurecer rejuvenescendo.*

Os resultados do jejum que vemos na atualidade estão em completo alinhamento com os achados da pesquisa de restrição calórica que o dr. Stephen R. Spindler, cientista e professor de bioquímica da Universidade da Califórnia (EUA), tem obtido em seus estudos, os quais talvez sejam os primeiros a mostrar que a restrição calórica pode de fato ligar os genes do rejuvenescimento e, literalmente, reverter o processo de envelhecimento. E mais: com apenas algumas semanas de prática!

O jejum nos traz uma consciência de fisicalidade inédita, que nos permite reconhecer o próprio corpo e os mecanismos de controle do seu bem-estar. Durante o jejum, é comum emergirem emoções antigas, que havia muito estavam abafadas em nosso inconsciente, e que ficaram suprimidas. Quando o corpo para de trabalhar para processar alimentos, ele aquieta, e a mente tem mais espaço, energia e oportunidade para trazer à tona pensamentos, sentimentos e emoções que não tinham como aflorar e não recebiam nossa atenção.

O que vem à consciência pode e deve ser canalizado com atividades de catarse, ou seja, também uma limpeza, como: espreguiçar, bocejar, chorar, fazer caretas, gritar, bater numa almofada, sapatear, dançar, rasgar papéis velhos, rabiscar etc. São exercícios e dinâmicas que também são propostos no Capítulo 7. E tenha a certeza de que a prática diária dessas "liberações" será tão mais indolor quanto mais lenta e gradual for ocorrendo, ou seja, não deve tomar mais que 10 minutos diários.

É importante ser gentil e generoso consigo mesmo e saber que transtornos físicos e emocionais durante o jejum podem realmente acontecer. De brinde, no plano mental, a lucidez que se manifesta é surpreendente. O bom humor e a espirituosidade são termômetros perfeitos da nossa capacidade de lidar com os desafios naturais da vida, e certamente vão brotar no seu dia a dia. Na verdade, o aumento da sabedoria pode ser medido, com precisão, pelos crescentes momentos de bom humor. E você verá que, no plano espiritual, acontece um grande afloramento do sexto sentido, com o aumento da sua percepção e sensibilidade, trazendo enorme sabedoria, consciência e lucidez.

Quando o jejum é indicado?

Os lixos tóxicos da vida moderna são inevitáveis. Por mais saudáveis que sejam nossos hábitos, o processo de intoxicação de nosso sistema – corpo, mente, emoção e espírito – é diário.

É importante buscar uma desintoxicação quando aparecerem sintomas de resfriado, corrimentos vaginais ou outro problema repetitivo que possa interferir na sua saúde. Isso indica que o sistema imunológico está debilitado. O jejum será útil também quando o estado emocional estiver descompensado e a raiva, a mágoa, a ansiedade e a frustração estiverem nos consumindo, bem como quando não conseguimos descontinuar um vício: fumar, beber, ver TV, jogar, pensar em sexo, fazer musculação, reclamar de tudo de forma excessiva etc.

Emagrecer não é a proposta original da desintoxicação e do jejum, mas quão intoxicado está um corpo com excesso de gordura corporal? Como ele chegou a esse excesso? O que esse excesso alimentar está abafando? Devemos jejuar mesmo quando nos sentimos bem, para não pararmos de crescer e evoluir! Desintoxicar-se é sempre bom porque, na essência, é uma decisão completamente de âmbito espiritual.

Como fazer o jejum

Procurando ser sensata, prática e objetiva, criei duas dinâmicas de jejum que podem ser intensificadas de acordo com a necessidade pessoal. A primeira, que chamarei de *pseudojejum*, consiste em iniciar o dia com um suco verde desintoxicante. Chamo de *pseudo* porque não é exatamente um jejum, já que 30 minutos após a ingestão do suco verde desintoxicante, o praticante está liberado para a sua alimentação habitual, ou seja, seu desjejum matinal.

O interessante dessa proposta é que ela pode ser iniciada de imediato, é totalmente viável, e todos podem praticá-la todos os dias, sem enfrentar dificuldades estressantes. Basta comprometimento, os ingredientes e um liquidificador. Também pode (e deve) ser usada como primeiro estágio para as outras dinâmicas desintoxicantes, mais intensas e profundas. O poder da desintoxicação cresce a partir de sua prática efetiva, com método, e quanto mais intensa for, mais delicada e fácil de praticar será.

Nossos hábitos e crenças alimentares em geral são tóxicos, e o ideal é aprender a jejuar progressivamente para evitar que o organismo passe por mudanças muito bruscas. Empaticamente, busco imaginar a situação de que você nunca teve o hábito de consumir alimentos frescos e crus, menos ainda os sucos detox à base de hortaliças. Então, como pedir que você vá direto à prática de um jejum intermitente? Portanto, fica a sugestão: antes de fazer uma desintoxicação completa, recomendo que experimente o pseudojejum desintoxicante, que é como um "banho interno" diário.

O jejum intermitente

Jejum intermitente ou dieta com restrição calórica, de que você já deve ter ouvido falar, virou moda quando várias pessoas famosas relataram histórias de emagrecimento rápido. Mas, saindo dessa influência dos modismos, e permanecendo no propósito do saudável, que é se alimentar com qualidade e menor quantidade (restrição calórica), chegou a hora de você saber mais. Porque o verdadeiro propósito dessa dinâmica é que o jejum intermitente é um desafio para o cérebro, para o resgate funcional de todo o organismo.

Existem várias maneiras de praticar o jejum intermitente, mas é importante relembrar que, quando o fazemos pela primeira vez, é prudente começar paulatinamente. Exemplos de métodos possíveis e de sucesso:

- 5 por 2: dois dias de dieta com 25% das calorias normais e cinco com dieta normal.
- 5 por 2: dois dias não consecutivos de jejum total e cinco com dieta normal.
- 16 por 8: janelas diárias de 16 horas sem alimento e 8 horas com alimento.

O método de 16 por 8 é o mais comumente usado para o jejum intermitente, e nele, diariamente, você deve permanecer em jejum por 16 horas, ficando as outras 8 horas livres para a alimentação. Uma sugestão é tomar o suco verde desintoxicante, em jejum, pela manhã, almoçar e jantar dentro das 8 horas seguintes, e, no restante do tempo, jejuar ingerindo apenas água, sucos verdes e chás digestivos.

Um bom exemplo seria realizar a última refeição do dia às 20 horas. Acordar e tomar seu suco verde desintoxicante, idealmente isento de frutas ou fermentado e rico em probióticos, que vai propiciar excelente hidratação, mineralização e alcalinização. E a seguir planejar iniciar sua primeira refeição do dia às 12 horas, totalizando assim 16 horas de jejum. Portanto, nas 8 horas seguintes, das 12 horas até as 20 horas, cabem as refeições (almoço e jantar), baseadas em escolhas de ingredientes conforme os sugeridos no Capítulo 4.

Eu, pessoalmente, creio que com o tempo não há a menor necessidade de criar um mecanismo para que você cumpra o jejum. Alimente-se bem – com boas escolhas e sem exageros – quando tiver fome dentro dessas 8 horas. E, quando o organismo se acostumar, ficará no automático: você nem vai se lembrar de que está jejuando. E mais que isso, será uma oportunidade de vivenciar, literalmente, a restrição calórica e todos os seus benefícios, que aparecerão muito rápido!

O médico integrativo e neurocientista Fábio Gabas, autor do livro *Despertando Vidas* (Butterfly, 2015), em uma de suas brilhantes palestras conseguiu finalmente me convencer de que isso de fato acontece quando, após os primeiros 3 a 7 dias de jejum intermitente (dependende de cada pessoa, considerada única), interrompemos o efeito rebote dos altos e baixos da glicemia.

Esse ciclo de altos e baixos de glicemia funciona da seguinte maneira: quando comemos, a glicemia aumenta (hiperglicemia), colocando o cérebro e o sistema hepático em modo de sobrevivência para baixar a glicose. Na sequência, estaremos com a glicemia baixa (em hipoglicemia), e como um efeito rebote, o cérebro estará desesperado por energia e virá a compulsão por comer.

Quando rompemos esse ciclo vicioso da alimentação moderna, em que comemos por compulsão, o jejum intermitente se torna absolutamente natural. Vejamos a dinâmica de uma pessoa que não passa fome, que não está perdida na floresta, mas que se encontra na mesma situação que vivenciávamos quando vivíamos nos tempos da caverna.

Ao ingerirmos alimentos, o organismo guarda glicogênio no fígado e nos músculos como reserva energética. O glicogênio demora de 10 a 20 horas para se esgotar. Fazendo três refeições diárias (mais os lanches), nunca esgotamos o glicogênio armazenado. Durante o jejum, mudamos nosso padrão de gasto energético pois, após esgotar o glicogênio armazenado no fígado, começaremos a queimar gordura, ou seja, gereremos energia para o corpo a partir de precursores não baseados em glicose ou glicogênio. Portanto, a melhor forma de esgotarmos o glicogênio do fígado é fazendo jejum e exercícios vigorosos.

A vantagem, durante o jejum, é que o cérebro responderá adaptativamente à falta de alimento combatendo o estresse e as doenças neurológicas como o Alzheimer, a deterioração cognitiva e o Parkinson. Além disso, não acumulará glicogênio nem gordura.

Efeitos fisiológicos do jejum intermitente

O jejum é um excelente desafio para o cérebro, um verdadeiro exercício cerebral, com efeitos funcionais e de longo alcance. Ele causa efeitos parassimpáticos, lipolíticos, neurológicos e metabólicos em geral, como descrito a seguir.

Efeito parassimpático: mediado pelo neurotransmissor acetilcolina, o jejum intermitente aumenta a atividade parassimpática nos neurônios autônomos que inervam o intestino, o coração e as artérias, resultando em melhor mobilidade intestinal, redução da frequência cardíaca e menor pressão sanguínea, o que é benéfico à saúde.

Efeito lipolítico: o jejum intermitente estimula o sistema nervoso simpático sobre as células adiposas, com liberação localizada de noradrenalina e efeitos lipolíticos, antes inibidos pela insulina, ou seja, que promovem maior mobilização de gordura, poupando o glicogênio muscular. Com isso, acontece grande melhora da cognição e da resposta adaptativa, normalmente em declínio com o avanço da idade. Portanto, reduz processos neurodegenerativos, melhora a sanidade e a higidez das células, proporcionando mais longevidade.

Efeitos neurológicos: o jejum intermitente, estimula a produção do Fator Neurotrófico do Cérebro (BDNF), uma proteína que fomenta a neurogênese, a criação de novos neurônios e, consecutivamente, aumenta o número de sinapses entre eles. Promove o aumento da neuroplasticidade, ou seja, a capacidade que o cérebro normalmente tem para se regenerar e responder melhor a doenças e problemas neurológicos.

Efeitos biológicos: o jejum intermitente afeta o metabolismo energético regulando sua eficiência, reduz a inflamação, o estresse oxidativo e a resistência insulínica. Reduz marcadores de inflamação e atenua doenças crônicas. Protege, assim, os órgãos, o cérebro e os neurônios contra fatores genéticos e ambientais. Aumenta os níveis de ácido úrico e corpos cetônicos, que também funcionam como um antioxidante, reduzindo indicadores como o Fator de Necrose Tumoral-α, a homocisteína e os níveis de proteína-c reativa.

Diminui diversos fatores que são indicadores de riscos de doenças cardiovasculares, ou seja, melhora a saúde do coração e vasos por reduzir os níveis elevados de açúcar no sangue (altamente danoso para as paredes vasculares). Reduz a pressão arterial e os níveis de lipoproteínas de densidade muito baixa (VLDL), além da concentração de triglicerídeos e dos níveis de tecido adiposo, e também contribui com o aumento do HDL (o "bom" colesterol).

Mitos e dúvidas sobre o jejum

Muitas pessoas têm dúvidas e receios quanto a fazer jejum, pela ideia de privação de alimentos, de passar fome, de estar malnutrido ou por eventuais danos que essa prática possa causar, ou então têm falsas expectativas quanto aos efeitos que ele causa no corpo. Listo aqui, então, as dúvidas e os mitos mais comuns, para esclarecer os enganos mais usuais.

Não tomar café da manhã engorda

MITO! O café da manhã é benéfico para algumas pessoas, mas para outras, não. Um ensaio clínico controlado randomizado realizado em 2014 comparou o consumo ou não do café da manhã em 283 adultos com obesidade e sobrepeso e concluiu que o hábito de realizar essa refeição não influencia na perda de peso.

O jejum aumenta a fome

MITO! Uma barreira potencial para o jejum é a preocupação em relação à fome. Os dados sugerem que passar fome não é uma realidade vivida por aqueles que praticam o jejum de forma regular. Pelo contrário, o jejum diminui o hormônio estimulante da fome, a grelina. Pessoas que adotaram a prática do jejum relatam que o apetite tende até a diminuir.

O cérebro precisa de uma fonte de glicose constante
MITO! Além da glicose, os corpos cetônicos são uma grande fonte de combustível para o cérebro, que, inclusive, pode funcionar metabolicamente melhor com eles. Quando a glicose dos alimentos e o glicogênio do fígado e dos músculos se esgotam, a energia é produzida endogenamente pelo processo de neoglicogênese, no qual ocorre a transformação de proteínas e gorduras em glicose. Após o segundo ou terceiro dia de jejum, os níveis baixos de insulina estimulam a lipólise (quebra de gordura) para produzir corpos cetônicos, que fornecerão energia para o cérebro.

O jejum baixa a taxa de açúcar no sangue (hipoglicemia)
MITO! O nível de glicose no sangue é monitorado pelo organismo. Existem múltiplos mecanismos compensatórios para manter os níveis de glicose em uma concentração adequada por meio do glicogênio, da neoglicogênese e do glicerol, transformando gordura em energia a partir de precursores não baseados em glicose, como os corpos cetônicos, mencionados acima.

O jejum priva o organismo de nutrientes
MITO! Existem dois tipos de nutrientes: os micro e os macronutrientes. Durante o período do jejum, o organismo recicla os elementos que seriam eliminados pela urina e pelas fezes. Uma alimentação saudável entre os períodos de jejum repõe todos os nutrientes necessários.

Sugiro aprofundar o conhecimento nesse tema assistindo ao vídeo do dr. Mark P. Mattson, professor de neurociência na Universidade Johns Hopkins (EUA), também chefe do Laboratório de Neurociências do Instituto Nacional sobre Envelhecimento (National Institute on Aging): "Por que o jejum turbina seu cérebro". Recomendo, ainda, a brilhante matéria escrita pelo dr. Gabriel Cousens, médico homeopata, diplomado em medicina Ayurvédica, intitulada "Comer pouco e longevidade".

❧ Capítulo 5 ❧

O Sono: Reinicializando seu Cérebro

*O aprendizado é mais duradouro, criativo e
emocionalmente inteligente quando seguido de sono.
Sono e cognição são intimamente ligados.*
– Sidarta Ribeiro

O organismo tem horários. É claro que o tempo das pessoas nos dias de hoje anda apertado, mas dessa engrenagem não podemos fugir. A hora do sono é sagrada para a reposição celular. O metabolismo basal do corpo fica, no mínimo, em marcha lenta, permitindo o repouso e a revitalização. Para as crianças, a vovó dizia: "Quem não dorme não cresce". Para os adultos, o conselho é: "Quem não dorme não se restabelece, não se regenera". E isso é verdade, pois o cérebro que não dorme não reinicializa.

Longe de ser apenas um descanso, o sono ajuda a consolidar as memórias e tem grande importância para o aprendizado e o equilíbrio emocional. Essa informação quem dá é Sidarta Ribeiro, diretor científico do Instituto de Neurociência de Natal.

O sono é muito importante para a consolidação da memória. Quando aprendemos algo durante o dia, o cérebro armazena esse aprendizado em determinadas áreas, e somente durante o sono essa memória (aprendizado) migra das áreas de entrada iniciais para áreas mais perenes. Além disso, as memórias são fortalecidas por mecanismos tanto moleculares quanto fisiológicos. Assim, o sono é fundamental para consolidar a memória, os aprendizados, o equilíbrio emocional e afetivo. E quem consolida bem a memória a cada noite bem dormida está mais apto a solucionar os desafios cotidianos, ou seja, é mais inteligente.

Mas não é só isso. Nós também temos a possibilidade de sermos mais criativos, gerarmos novas ideias, termos inspirações, vermos novas perspectivas e visualizar novos caminhos. Os sonhos e o sono reparador propiciam transformações e novos comportamentos.

Alguns fatos comprovados por pesquisas podem nos dar uma ideia da importância que tem o sono para o nosso desempenho físico e mental. Por exemplo, num estudo realizado pela Universidade Stanford (EUA), indivíduos que não dormiam havia 19 horas foram submetidos a testes de atenção. Constatou-se que eles cometeram mais erros do que pessoas com 0,8 g de álcool no sangue – o equivalente a três doses de uísque. Igualmente, tomografias computadorizadas do cérebro de jovens privados de sono mostram redução do metabolismo nas regiões frontais (responsáveis pela capacidade de planejar e de executar tarefas) e no cerebelo (responsável pela coordenação motora). Esse processo leva a dificuldades na capacidade de acumular conhecimento e a alterações do humor, comprometendo a criatividade, a atenção, a memória, as relações e o equilíbrio.

Além do descanso mental, durante o sono ocorrem vários processos metabólicos que, se alterados, podem afetar a harmonia de todo o organismo a curto, médio e longo prazos. Estudos provam que dormir menos do que o necessário – qualitativamente – resulta em menor vigor físico, envelhecimento celular precoce, maior vulnerabilidade a infecções, obesidade, hipertensão e diabetes.

1. As fases do sono

No longo prazo, a privação do sono pode comprometer seriamente a saúde, uma vez que é durante o sono que são produzidos alguns hormônios que desempenham papéis vitais no funcionamento de nosso organismo. Por exemplo, o pico de produção do hormônio do crescimento (também conhecido como GH, a sigla em inglês de *Growth Hormone*) ocorre durante a primeira fase do sono profundo, aproximadamente meia hora após a pessoa dormir.

Esse hormônio, entre outras funções, ajuda a manter o tônus muscular, evita o acúmulo de gordura corporal, melhora o desempenho físico e combate a perda óssea. Estudos comprovam que pessoas que dormem pouco reduzem o tempo de sono profundo, e, em consequência, a produção do GH.

As Fases do Sono

Fase 1 Sonolência e indução do sono. A melatonina é liberada.

Fase 2 Sono leve. Diminuem os ritmos cardíaco e respiratório. Os músculos relaxam e cai a temperatura corporal.

Fases 3 e 4 Sono profundo. Pico de liberação do GH e da leptina. O cortisol (hormônio da tristeza e do estresse) começa a ser mobilizado.

Sono REM (Rapid Eyes Moviment ou movimento rápido dos olhos). É o pico da atividade cerebral, quando ocorrem os sonhos. O relaxamento muscular chega ao auge e voltam a aumentar as frequências cardíaca e respiratória.)

A leptina, hormônio capaz de controlar a sensação de saciedade, também é secretada durante as fases 3 e 4 do sono. Pessoas que permanecem acordadas até muito tarde produzem menor quantidade de leptina, o que desencadeia a famosa fome noturna.

Com a redução das horas de sono, a probabilidade de desenvolver diabetes também aumenta. A falta de sono inibe a produção de insulina (hormônio que retira o açúcar do sangue) pelo pâncreas, além de elevar a quantidade de cortisol, o hormônio do estresse. Esse hormônio tem efeitos contrários aos da insulina, fazendo com que a taxa de glicose (açúcar) no sangue se eleve, o que pode levar a um estado pré-diabético ou, até mesmo, ao diabetes propriamente dito. Num estudo, homens que dormiram apenas 4 horas por noite, durante uma semana, passaram a apresentar intolerância à glicose (estado pré-diabético).

É durante o sono REM que acontecem os sonhos e tudo o que foi aprendido durante o dia é processado e armazenado. Se um adulto ou criança dorme menos do que o necessário, sua memória de curto prazo não será adequadamente processada e ela não conseguirá transformar em conhecimento (assimilar) aquilo que foi aprendido durante o dia. Em outras palavras, não dormir o tempo necessário gera dificuldade para aprender (registrar) coisas novas.

Em resumo:

Apetite em equilíbrio: durante o sono, o organismo libera maior dose de leptina, hormônio que controla a sensação de saciedade e impede a pessoa de atacar a geladeira durante a madrugada.

Combate à flacidez: mesmo na fase adulta, o hormônio do crescimento é produzido durante o sono, logicamente em doses menores do que em crianças. Esse hormônio evita a flacidez muscular e garante o vigor físico.

Combate ao estresse: uma noite bem dormida evita que o organismo acumule altas doses de cortisona, hormônio que é produzido pelas glândulas suprarrenais e liberado em situações de estresse, contribuindo para o mau humor depois de uma noite maldormida.

Combate aos radicais livres: enquanto dormimos, livramo-nos com mais facilidade desses agentes causadores de envelhecimento precoce.

Aumento da imunidade: durante o sono, o corpo libera interleucinas, substâncias que ajudam o organismo a se defender de invasores – vírus e bactérias!

2. Quem dorme mais tende a aprender mais

O sono também contribui para o bem-estar mental e emocional. Pessoas que conseguem dormir bem, acordam mais bem-humoradas, animadas, com maior capacidade de concentração e autocontrole para realizar as tarefas pessoais e profissionais. Dormir pouco altera negativamente o humor, a afetividade, a capacidade de concentração, a aprendizagem, o raciocínio lógico e a memória do indivíduo. Algumas teorias afirmam que o sono também contribui para o crescimento cerebral (neuronal), para apagar memórias indesejáveis e consolidar aprendizados.

3. Quantas horas dormir por noite?

Não existe um consenso entre os especialistas com relação à quantidade de horas de sono que é necessária para um repouso adequado. Na maioria dos casos, o ideal é em torno de 8 horas. Porém a qualidade pesa mais que a quantidade. Vale muito mais um sono "restaurador" de 6 horas do que um sono "agitado" de 10 horas.

Segundo o neurologista brasileiro Sidarta Ribeiro, as pessoas têm necessidades diferentes. Uma pessoa pode precisar de 6 horas de sono, outra de 8 horas, e ainda outra de 10. Aquela que precisa de 10, se dormir 5 horas, provavelmente vai passar o dia todo se sentindo cansada e sem conseguir se concentrar nas tarefas. Aquela que precisa de 5 horas de sono, se dormir durante 10 horas com certeza também terá um dia difícil. O importante é a pessoa ter a quantidade de sono adequada para sua natureza, e com qualidade.

Contudo, existe uma linha mais búdica e védica, como a do dr. Gabriel Cousens, autor de *Vença a Diabetes com Alimentação Crua e Viva* (Alaúde, 2011), compartilhada pelo mundo científico, por exemplo, pelo dr. Sérgio Felipe de Oliveira, neurocientista e pesquisador da USP, que defende que a hora limite para ir se deitar e dormir é às 22 horas. Depois desse horário, o organismo terá dificuldades para realizar suas tarefas alinhadas com a sua biologia natural e com os ritmos circadianos. Ou seja, não se trata somente do número de horas dormidas, mas do momento correto do dia para ir dormir: das 22 horas às 4 ou 6 horas da manhã.

4. A melatonina e o ritmo circadiano

A melatonina, como já dissemos, é uma substância natural semelhante a um hormônio e é produzida na glândula pineal e nos intestinos. A produção de melatonina é cíclica, obedecendo a um ritmo diário de luz e escuridão, chamado ritmo circadiano. Nos seres humanos, a produção de melatonina ocorre durante a noite, com quantidades máximas entre 2 e 3 horas da manhã, e mínimas ao amanhecer do dia.

Tanto a luz como a escuridão transmitem os sinais captados pela retina para a glândula pineal, determinando a hora de iniciar e parar a síntese da melatonina. A produção noturna de melatonina levou à rápida descoberta do seu papel como indutor do sono em humanos, e como restauradora dos distúrbios decorrentes de mudanças de fuso horário (*jet lag*), no início dos anos 1990.

Melatonina e regulação do sono

Além da regulação do sono, a melatonina controla o ritmo de vários outros processos fisiológicos durante a noite: a digestão torna-se mais lenta, a temperatura corporal cai, o ritmo cardíaco e a pressão sanguínea diminuem e o sistema imunológico é estimulado. Por esse motivo, costuma-se dizer que a melatonina é a molécula-chave que controla o relógio biológico dos animais e humanos.

5. Sugestões para um sono reparador

Tome um bom banho antes de dormir, ou seja, jamais durma com o corpo sujo, pois as vibrações de frescor, relaxamento e limpeza que um banho proporciona garantirá a qualidade do seu sono.

Evite tomar café, chá com cafeína (como chá preto e chá-mate) e refrigerantes derivados de cola, pois todos são estimulantes.

Apague todas as luzes, inclusive a do abajur, do corredor e do banheiro, pois a luminosidade impede a liberação da melatonina, hormônio responsável pelo sono. Evite também dormir com a TV ligada e evite utilizar equipamentos eletrônicos como o celular no quarto, uma vez que a luz impede a produção de melatonina e os ruídos e a luminosidade impedem que a pessoa chegue à fase de sono profundo. Tire da cabeceira da cama o telefone, o celular e relógios.

Não leve livros, *laptop* ou qualquer outro tipo de estimulante mental para a cama.

Se a pessoa dorme cedo – entre 20 e 22 horas –, seu jantar (leve) deve ser realizado no máximo até as 19 ou 20 horas, para que o organismo tenha tempo de digeri-lo e o sono não sofra interferência da demanda energética da digestão. Se a pessoa dorme tarde – depois das 22 horas –, sua última refeição (um lanche leve) deve ser realizada até uma hora antes, pelo mesmo motivo.

Concordo com algumas linhas terapêuticas que indicam que qualquer refeição ou lanche realizado após as 19 horas deve se constituir de líquidos, para que o processo digestivo seja mais acelerado e evite interferir na qualidade do sono. Quer arroz com feijão, por exemplo? Bata no liquidificador e tome na forma de sopa. Uma salada de frutas com sorvete? Bata no liquidificador e tome uma vitamina geladinha.

O ideal é praticar uma atividade física ao longo do dia para aumentar a mobilização da energia basal, evitar o sedentarismo e facilitar a liberação de substâncias que aumentam o estresse. Para quem tem insônia, recomendo ainda uma atividade corporal ou meditação ativa antes do banho e de ir para a cama, por exemplo, dançar ou fazer uma série do yoga ou de alongamentos.

Aproveite para orar e colocar intenções para esse momento de meditação e descanso. Pode-se pedir aprendizados, sonhos bons, expansão da consciência, soluções para desafios, enfim... Para pessoas com insônia ou fibromialgia, recomenda-se, inclusive, aulas de natação ou hidroginástica, que relaxam duas vezes mais: pela atividade física e pela ação do banho de imersão. Na hora de se deitar, coloque um copo de água na cabeceira da cama e repita suas intenções, como desejar que todas as coisas boas dessas intenções se materializem nessa água durante o repouso do sono. Pela manhã, beba a água em postura de gratidão e receba tudo o que nela se cristalizou.

Existe uma técnica bastante interessante sugerida como prática para insones, que consiste em fazer um escalda-pés de 5 minutos em água gelada antes de se deitar. A pessoa já o faz preparada para se deitar em seguida. No meu entender, esse procedimento mobiliza a energia concentrada na cabeça, projetando-a para as extremidades do corpo, aliviando assim a mente e as neuroses.

Esta sugestão é óbvia, mas não custa lembrar: usar colchão e travesseiro de boa qualidade e adequados ao seu peso e tamanho.

Recomendo uma combinação de óleos essenciais da aromaterapia que chamo de "Doril para ansiedade e insônia": limão tahiti, laranja-pera e lavanda Mont Blanc. Esses óleos têm como função proporcionar relaxamento e estimular a vontade (alegria) de estar consigo e de se respeitar. Pode ser usada à noite, na água da banheira (para adultos, 3 gotas; para crianças, 1 a 2 gotas; e para bebês, 1 gota) ou pode ser colocada no travesseiro dos adultos (1 a 3 gotas). No caso de crianças, pode ser colocada em um pires ao lado da cama (1 a 3 gotas). No caso de bebês, basta acrescentar uma gota à água da banheira.

Ao despertar, após tomar, ainda deitado, o copo de água energizado que mencionei, junte as mãos e esfregue uma na outra até se aquecerem. Faça carinho no próprio rosto, como se o estivesse ensaboando e lavando. Relaxe o primeiro semblante do dia. Depois, esfregue novamente as mãos e massageie seu abdômen. Acaricie-o e lembre que o dia vai começar e que ele precisa acordar, ou seja, está chegando a hora de esvaziar o intestino. Pode-se prolongar essa carícia, estendendo-a às demais partes do corpo, sempre com o propósito de acordá-lo com muita celebração, gratidão e carinho.

Depois de se levantar e antes de usar o banheiro, vá até a cozinha e tome meio copo de água morna acrescida do suco fresco de um limão e 1 pitada de sal integral. Essa é uma receita da milenar medicina ayurvédica para purificar (ação bactericida), aliviar (ação laxante) e sanar (ação harmonizadora e alcalinizante) todas as dificuldades do organismo. Espere de 20 a 30 minutos para fazer a refeição matinal.

6. As posições para dormir

De lado: é a melhor postura! Mas deve-se usar um travesseiro que preencha o espaço entre o ombro e a cabeça, nem muito baixo, nem muito alto. É recomendável abraçar um segundo travesseiro e colocar uma almofada entre os joelhos. No total, portanto, idealmente use três travesseiros.

De barriga para cima: é uma posição aceitável, mas recomenda-se um travesseiro não muito alto e um apoio (almofada) debaixo dos joelhos, que ajudará a manter a coluna reta.

De bruços: é uma posição *não recomendável*. Diz-se que nessa posição não há como evitar uma lesão na coluna cervical, que pode criar contraturas na musculatura do pescoço, dificultando o relaxamento e o sono profundo.

❧ Capítulo 6 ❧
Juventude, Velhice e as Doenças Neurodegenerativas

O conhecimento torna a alma
jovem e diminui a amargura da velhice.
Colhe, pois, a sabedoria. Armazena suavidade para o amanhã.
– Leonardo da Vinci

O envelhecimento é inevitável. O tempo passa, a idade chega, a juventude vai embora e o processo de degeneração biológica acontece para todos. Porém, envelhecer não precisa ser sinônimo de doenças, de perda de qualidade de vida, de falta de saúde, de memória ruim ou de falta de capacidade cerebral e mental.

A propensão genética a uma doença também não significa que ela vá necessariamente se desenvolver. Se optarmos por viver com muita qualidade o presente, o agora, quem sabe estaremos evitando uma doença degenerativa ou um carimbo genético no futuro? E mesmo que uma doença nos acomete, ainda assim podemos fazer algo e aprender muito.

Bons exemplos são Mário Baldani, pai da Biocibernética Bucal, que teve câncer de língua aos 5 anos, e Meir Schneider, criador de técnicas de exercícios visuais, que o curaram de uma grave deficiência visual congênita. O objetivo deste livro é levar o leitor ao autoconhecimento e difundir a medicina preventiva. A grande proposta é viver bem, viver intensamente, sem medo de aprender, de crescer e de conhecer o novo.

1. Os vilões do cérebro e da memória

Existem hábitos nocivos, mas que infelizmente muitas pessoas ainda têm, e que são verdadeiros vilões para o cérebro, para a mente, para a memória e para a saúde em geral:

- Dormir pouco ou dormir demais
- Vida sedentária e estressante
- Emoções e sentimentos mal administrados
- Tabagismo
- Alcoolismo
- Alimentação inconsciente e não balanceada
- Atitudes passionais e destrutivas
- Mau uso dos pensamentos e das palavras

É óbvio que devemos evitar ao máximo cair nesses hábitos, e buscar substituí-los, se eles existirem, por atitudes saudáveis e positivas, que tragam um bem-estar não apenas no presente, mas também no futuro. A vida nos dias de hoje, complicada em vários sentidos, e que nos afasta de muitas atitudes saudáveis e naturais, não pode ser motivo para descuidarmos de nossa qualidade de vida. Mas sabemos que muitas doenças mentais hoje se tornaram quase epidemias, presentes em um número cada vez maior da população, como o estresse e a depressão, e é claro que elas são nocivas para nossa saúde cerebral e mental.

2. Estresse e depressão

Estresse e depressão são ambos fortes agentes de destruição e degeneração dos neurônios de diversas áreas especializadas do cérebro. No estresse, as sinapses (comunicações neuronais) ficam prejudicadas, pois ocorre uma deficiência de serotonina, neurotransmissor relacionado ao bom humor, ao sono e ao apetite. Do ponto de vista químico, é como se os fios estivessem em curto, como se houvesse uma pane; em algum momento tudo pode sair dos trilhos. Substâncias importantes (neurotransmissores e neurorreceptores) estão em falta ou defasadas, e as sinapses estão prejudicadas.

O estresse é uma resposta biológica natural do corpo, que ocorre quando ele precisa mobilizar energia e recursos físicos e mentais para reagir a uma ameaça. Porém, quando o estresse ultrapassa certos limites, ou quando não voltamos ao funcionamento normal do corpo depois de muito estresse, seus efeitos podem ser nocivos no curto, médio e longo prazo.

Estresse pode até sinalizar uma depressão que está por vir. Em seus diversos estágios, ele pode ser um aviso de que a depressão vai acontecer. Pode-se dizer que a depressão é um estresse que descarrilhou. O que se constata clinicamente é que não existe um estado de estresse elevado sem que haja também um estado afetivo diminuído, que pode ser causa ou consequência do estresse.

A depressão é uma doença que compromete o corpo e a mente. Ela distorce a maneira como a pessoa enxerga o mundo e percebe a realidade. De um modo geral, ela afeta a parte psíquica, as funções mais nobres da mente humana, como a memória, o raciocínio, a criatividade, a vontade, o amor e o sexo. Enfim, tudo parece difícil, problemático e cansativo para o deprimido.

Em entrevista coletiva, Shekhar Saxena, diretor do departamento de Saúde Mental e Abuso de Substâncias da OMS afirmou: "O número de crianças, adolescentes e jovens adultos, de 12 a 25 anos, que sofrem de depressão é tão alto como o dos adultos. O problema, nesse caso, é que a depressão não é detectada porque não há consciência de sua real incidência". E ele continua: "Os sintomas que afetam jovens e adultos costumam ser diferentes, mas a doença é a mesma", explicando que, por conta desse fato, a depressão não é detectada com facilidade.

A depressão é uma doença que afeta 350 milhões de pessoas no mundo todo. É um fenômeno global que pode se manifestar em todas as idades, regiões e em ambos os sexos. No entanto, a mulher se mostra muito mais vulnerável, já que há consideravelmente mais casos entre as mulheres que entre os homens.

Segundo o psiquiatra G. Ballone, "a depressão é um transtorno afetivo (ou do humor), caracterizado por uma alteração psíquica e orgânica global, com consequentes alterações na maneira de valorizar a realidade e a vida". Para quem quer saber mais sobre a depressão, seria interessante ler mais sobre o que é o afeto, uma vez que ela é uma doença afetiva. A princípio, o afeto é a parte do psiquismo responsável pela maneira de sentir e perceber a realidade.

A depressão não é, portanto, sinal de fraqueza, de falta de pensamentos positivos ou uma condição que possa ser superada apenas com força de vontade ou esforço. A pessoa com doença depressiva (estima-se que 17% dos adultos sofrem de uma doença depressiva em algum período da vida) não pode, simplesmente, melhorar por conta própria por meio de pensamentos positivos ou tirando férias. Sem tratamento específico em paralelo, os sintomas podem durar anos e desencadear outras degenerações e consequências. O tratamento adequado, com um bom psiquiatra, pode ajudar a maioria das pessoas que sofrem de depressão, mas elas não devem depender somente de tratamento químico para resgatar seu ânimo e afeto.

Uma pesquisa realizada na Universidade Standford (EUA) revelou que o cérebro de indivíduos ansiosos e melancólicos, comparado com o de indivíduos que dificilmente se abalam com as situações adversas, é menos ativado quando vê imagens felizes. Entretanto, diante de situações tristes ou frustrantes, ocorre o oposto, ou seja, a massa cinzenta dos agitados fica superativa. Em outras palavras, o depressivo enxerga e escuta 20% das cenas felizes e 200% das cenas tristes. A ansiedade, o estresse e a depressão se retroalimentam com uma lupa sobre os desafios afetivos inerentes à vida. Uma vez iniciado esse trajeto da alquimia cerebral, essa via vai ficando cada vez mais fortalecida em detrimento de outras vias positivas.

Do ponto de vista clínico, a depressão é mais um mau funcionamento do cérebro do que uma *má vontade* psíquica ou uma *cegueira mental* para as coisas boas que a vida pode oferecer. A pessoa deprimida sabe e tem consciência das coisas boas de sua vida, entretanto, apesar de saber tudo isso e desejar ser de outro jeito, continua deprimido. A depressão, se crônica, é uma doença e deve ser tratada como tal.

Não são conhecidas ainda todas as causas da depressão e talvez ainda demore muito tempo para que tenhamos essa informação. Pesquisas na área sugerem fortemente influências bioquímicas importantes para a regulação de nosso estado afetivo. Existem também sinais que sugerem a importância de fatores genéticos, pois observa-se incidência aumentada do transtorno depressivo em membros de uma mesma família.

Os tratamentos medicamentosos para a depressão procuram realizar uma correção bioquímica de tal forma que haja aumento no nível de neurotransmissores, bem como um reequilíbrio dos neurorreceptores.

Dependendo do tipo e do grau de depressão, um psiquiatra deve acompanhar o tratamento, inevitavelmente usando drogas se houver urgência na reversão do quadro.

A – Quadros ansiosos
Síndrome do pânico
Fobias
Ansiedade generalizada

B – Quadros somáticos (com queixas físicas)
Quadros somatomorfos
Doenças psicossomáticas
Hipocondria

C – Quadros na infância
Hiperatividade
Medo patológico
Dificuldades escolares

D – Quadros impulsivos
Bulimia nervosa
Anorexia nervosa
Quadros obsessivo-compulsivos

Fonte: PsiqueWeb (http://www.psiqweb.med.br)

Sugestões para driblar a ansiedade e o estresse

Podemos afirmar que a vida moderna, com tantos desafios e problemas do cotidiano, acaba distanciando as pessoas delas mesmas e de sua alma. O avanço tecnológico, apesar dos seus bons propósitos, ocasiona um impacto negativo no organismo, no cérebro e na mente.

Conhecer a doença pode tornar mais fácil seu controle e sua cura. Fazer uso de recursos naturais em paralelo ao tratamento psiquiátrico é muito recomendável. O propósito deste livro é indicar o que se pode fazer para evitar o estresse e a dependência química na depressão.

A pessoa que não medita, que não reserva tempo para estar consigo mesma e ser mais assertiva nas suas escolhas e decisões, buscando gerar muitos canais, caminhos cerebrais positivos, sente como se a vida estivesse fugindo de suas mãos e se sente impotente no embate do dia a dia. Para ela, o dia não rende, o tempo não é suficiente.

Mas, atenção, estar deprimido pela partida de um ente querido, por uma separação ou por uma mudança radical de vida não é doença; ao contrário, é o esperado. Nesse caso, fazer uso de medicamentos é totalmente contraindicado.

Além da meditação, é importante praticar atividade física e uma alimentação que alivie a elevada carga tóxica e negativa gerada pela vida nos dias de hoje, principalmente nas grandes cidades. É imprescindível que as pessoas reservem tempo para perceber a vida com mais possibilidade de realização, direção, observação, superação e regeneração. Outras atitudes que sugiro ter:

1. **Desintoxique-se:** pratique a alimentação desintoxicante diariamente, faça uso dos sucos desintoxicantes de uma a três vezes por dia, sendo o primeiro em jejum, logo ao se levantar. Assim, você declara: desejo tomar este banho de limpeza interna diariamente, permitindo assim que o meu organismo se alivie de toda a carga tóxica que existe em mim, seja no físico, no emocional, no psicológico ou até mesmo no espiritual.

2. **Alongue-se:** são inúmeros os benefícios da prática frequente de atividade física, mas os alongamentos funcionam como um excelente antídoto para a ansiedade e o estresse. Uma esticada geral ao se levantar acorda tudo, e uma sessão de 5 minutos de alongamentos antes de dormir pode fazer maravilhas pelo sono. São exercícios simples e rápidos que ajudam o corpo a começar a se libertar das suas tensões inconscientes (ver Capítulo 7).

3. **Fique atento ao ritmo da vida:** as leis naturais obedecem a um ritmo. Existe hora para acordar, se alimentar, trabalhar e relaxar. O organismo gosta de rotinas, e elas podem favorecer o combate à ansiedade. Um exemplo: quanto mais regular o horário das refeições, melhores serão a digestão e o aproveitamento dos alimentos, tão fundamentais num organismo debilitado. E existe hora para meditar, que é o ritual de estar com você mesmo. Escolha seus horários e respeite-os, assim você estará respeitando a si mesmo.

4. **Faça arte:** ela nos ajuda a expressar emoções bloqueadas, trazendo alívios e soluções. Cerque-se de cores, papéis, pin-

céis, tesoura, massinha e deixe a sua criança se divertir e brincar. Faça colagem ou risque e rabisque mandalas. Seja o que for, permita que essa seja uma atividade catártica e divertida. Chore, ria, dance e cante, pois tenha certeza de que está espantando os seus males.

5. **Fique só:** experimente ficar por um tempo escutando e dando atenção somente a você. Não deixe ninguém importuná-lo. Então, use esse momento precioso para o que quiser: refletir sobre a vida, ouvir música, ver fotos. Desligue o telefone, o computador, e feche a porta do quarto. O importante é dedicar-se a si mesmo.

6. **Pratique yoga, tai chi chuan ou alguma prática oriental:** sem risco de se machucar, você ainda reaprende a respirar, meditar e flexibilizar todas as suas couraças musculares.

7. **Receba massagem:** pode ser shiatsu, ayurvédica, relaxante, enfim, aquela que fizer você sentir-se relaxado e renovado. Coloque a massagem como um compromisso semanal na sua agenda e não abra mão desse carinho para você mesmo. Se não tiver condições financeiras, tudo bem, faça automassagem e os exercícios cerebrais do Capítulo 7.

8. **Valorize os bons momentos:** sinta-se grato por ter sempre à mão seus pensamentos e recordações de bons momentos, quando a felicidade ocupou todos os seus espaços. É responsabilidade nossa mudar os pensamentos destrutivos e negativos e colocar no lugar bons pensamentos. Faça uma lista desses momentos e use-os toda vez que vierem aqueles fil-

mes repetitivos que não constroem nada de bom para a sua vida. Use os bons momentos como trunfos. Vá ao encontro do seu mundo de alegria e luz.

9. **Não exagere:** a ansiedade gosta de transformar copos d'água em tempestades. Nesse momento, rir é o melhor remédio, porque sinceramente, é patético pensar que um copo d'água vai alagar sua vida e fazê-la submergir.

10. **Seja condescendente com você mesmo:** todo mundo tem o direito de errar ou de cometer uma gafe. Excesso de controle e perfeição só serve para frustrar e deprimir. Nenhum coração aguenta isso. Arrisco afirmar que o perfeccionismo é uma pretensão oriunda de uma falha de caráter. Tente ser mais seu amigo, mais condescendente, mais tolerante com você mesmo. De brinde, você aumenta sua autoestima.

11. **Busque contato com a natureza:** ela funciona como um fio terra e descarrega tudo o que está descompensado. Caminhe descalço na terra ou na praia, tome banho de mar ou cachoeira, abrace árvores, admire o horizonte, a copa das árvores, o voo e o canto dos pássaros.

12. **Pratique a terapia do riso:** existe um ditado que afirma que "rir é o melhor remédio". Cientistas, médicos e terapeutas já não têm mais dúvidas. Procure assistir a comédias e programas de humor, ler, ouvir e contar piadas; enfim, busque transformar seus pensamentos e atitudes praticando o sábio e saudável hábito de rir. Ele vai fortalecer seu organismo e elevá-lo, dessa forma você poderá perceber as dificuldades

a partir de uma nova perspectiva, uma nova óptica. O riso funciona como uma lupa, magnificando a parte lúdica da sua vida.

13. **Evite pessoas tóxicas:** não conviva com pessoas tóxicas, amargas, pessimistas, negativas, muito críticas ou nervosas. Cuidado: tudo isso contagia. Sempre que possível, afaste-se de quem o leva para baixo. E, quando for inevitável, prepare-se para ser prático, objetivo e se afastar o mais rápido que puder.

14. **Aproveite o trânsito:** tenha sempre no carro músicas, piadas, *podcasts*, audiolivros ou palestras que o elevem, o tornem uma pessoa mais esclarecida ou simplesmente mais feliz.

15. **Faça uso de terapias alternativas:** escolha aquela com que você sente mais sintonia, por exemplo, florais, aromaterapia, fitoterapia, cromoterapia, homeopatia etc. Elas podem ser um excelente recurso para acalmar, preparar para a meditação, despertar para a realidade. Procure saber mais sobre elas antes de fazer sua escolha. Depois, procure um bom profissional.

16. **Medite:** existem várias técnicas, e certamente uma será adequada a você. Existem as meditações ativas do Osho, as meditações com mantras, as meditações budistas, aquelas que trabalham com visualizações, o *mindfulness*. A própria prática do yoga ou do tai chi chuan pode induzir a um estado de meditação. Qualquer que seja a técnica eleita, o objetivo

será sempre o mesmo: o de ficar mais presente, mais atento ao que o coração fala, ao que o universo sinaliza e oferece, ao aqui e agora, ao presente. Somente desse lugar de meditação é possível tomar decisões lúcidas, conscientes e mais vitoriosas. Afirmar que não consegue meditar é o mesmo que dizer: não consigo ficar comigo, me escutar, me fazer companhia. Bem, é hora de parar com essa autossabotagem.

17. **Transforme o desânimo em entusiasmo:** desânimo ⟶ des = sem + ânima = alma, ou seja, sem alma. Entusiasmo ⟶ en = com + theos = Deus, ou seja, com Deus no interior. Então, esse espaço vazio e sem alma pode ser preenchido com a Luz de Deus. Para invocar esse Deus dentro de nós, os egípcios usavam plantas, mas também receitavam dançar, ouvir músicas, dormir nos templos. A medicina grega e a romana usavam extratos medicinais, mas também ministravam ginástica, massagens e banhos.

18. **Mude as atitudes:** aceite que mudar implica assumir certos riscos; use os mesmos parâmetros para se autoavaliar e aos outros; não exija soluções mágicas para os desafios; seja paciente, pois mudanças acontecem com o tempo; estabeleça metas razoáveis para os seus projetos e entenda que adquirir novas condutas requer esforço, coragem, determinação e prática.

3. Doença de Alzheimer

A base histopatológica da Doença de Alzheimer foi descrita pela primeira vez em 1909, pelo neuropatologista alemão Alois Alzheimer. O Alzheimer é uma doença degenerativa do cérebro, caracterizada por uma perda das faculdades cognitivas superiores, manifestando-se inicialmente por alterações da memória episódica, que se agravam com a progressão da doença e são posteriormente acompanhadas por deficiências visuais, auditivas, espaciais e de linguagem.

Com o aumento da expectativa de vida da população, a incidência de novos casos de Alzheimer vem aumentando dramaticamente nos últimos anos, uma vez que a probabilidade de se desenvolver a doença aumenta com o avanço da idade.

Bastante incomum antes dos 50 anos, pode afetar metade das pessoas na faixa dos 90. Ainda não foi encontrada uma cura, mas existem várias formas de tratamento que podem amenizar os sintomas iniciais.

Demência é um termo médico utilizado para denominar disfunções cognitivas globais, podendo ocorrer em várias doenças diferentes, como acidentes vasculares cerebrais (AVCs), alcoolismo, Aids e mal de Parkinson. Contudo a Doença de Alzheimer é a causa mais comum de demência em todo o mundo.

Não se deve confundir distúrbios causados pelo envelhecimento natural com distúrbios causados pela demência. Algumas alterações de memória e de outras funções cognitivas são comuns em idosos sadios. Na demência, há um declínio cognitivo que resulta na perda da habilidade de administrar as responsabilidades em casa, no trabalho, nas atividades sociais e nas atividades do dia a dia. A perda de memória sempre ocorre na demência, mas não é suficiente para o diagnóstico, sendo necessário o declínio acentuado de pelo menos uma outra área da função cognitiva.

Vários estudos demonstraram que a Doença de Alzheimer é uma doença idade-dependente e que o risco aumenta em familiares, demonstrando que a genética pode estar fortemente relacionada. Aproximadamente 40% dos pacientes possuem no seu histórico um antecedente familiar, especialmente em famílias longevas. Estudos realizados com gêmeos não demonstraram resultados redundantes, indicando a possível influência também de fatores ambientais. A epigenética também confirma que a genética influencia cerca de 30% e os demais 70% estão ligados ao meio ambiente e estilo de vida.

O cérebro de um paciente com Alzheimer, quando visto em necrópsia, apresenta uma atrofia generalizada, com perda neuronal específica em certas áreas do hipocampo, mas também em regiões parieto-occipitais e frontais.

A evolução da piora é em torno de 5 a 15% da cognição (consciência de si próprio e dos outros) por ano de doença, com um período em média de oito anos do seu início ao último estágio.

O melhor tratamento é a prevenção, em que se busca cultivar todos os hábitos saudáveis propostos neste livro, desde a mais tenra idade.

Uma vez instalada e detectada a doença, o tratamento clínico visa trazer conforto ao paciente e retardar o máximo possível a sua evolução. Algumas drogas são úteis no início da doença, e sua dose deve ser personalizada e prescrita por um médico especializado.

Uma série de fatores parece aumentar a probabilidade de a pessoa desenvolver a Doença de Alzheimer:

- **Idade:** a incidência é muito maior em pessoas com mais de 80 anos.
- **Hereditariedade:** a história familiar geralmente aumenta a probabilidade de a pessoa desenvolver a doença. Uma idade inicial relativamente jovem para a doença indica um componente genético mais forte.

- **Metais:** o alumínio e o zinco têm sido associados às alterações do tecido cerebral que ocorrem na Doença de Alzheimer, porém não existem evidências diretas que liguem a exposição física a esses metais com a doença.
- **Síndrome de Down:** indivíduos com síndrome de Down possuem 50% mais risco de desenvolver a Doença de Alzheimer.

Outros fatores reduzem ou retardam o risco:

Altos níveis de instrução e aprendizado: pessoas que usam mais seu intelecto apresentam pontuações normais em testes de triagem cognitiva durante os estágios iniciais da doença. Testes cognitivos mais sofisticados podem revelar um declínio e sustentar ou não o diagnóstico. De qualquer forma, com a minha mãe, que começou a manifestar os sintomas aos 84 anos, após três anos de estresse cuidando do seu falecido marido (causas: idade e meio ambiente), percebo uma excelente frenagem durante os quatro anos em que mora comigo. Aqui, além de uma alimentação nota mil, caminha cerca de 2 a 4 km todos os dias na praia, além de se submeter a estímulos cognitivos diários, basicamente com artes e dança.

Reposição hormonal com estrogênio: além dos seus efeitos no trato reprodutivo da mulher, no sistema cardiovascular e na estrutura óssea, o estrogênio já demonstrou ter efeitos importantes nas células cerebrais. Há evidências de que ele promove a sobrevivência das células cerebrais e que também pode beneficiar ligeiramente o processo cognitivo.*

---

* Não sou favorável à Terapia de Reposição Hormonal (TRH), as informações desse tópico encontram-se disponíveis na literatura relacionada à Doença de Alzheimer.

Antioxidantes, em especial a vitamina E: segundo a teoria dos radicais livres, no processo de envelhecimento, várias manifestações de declínio funcional e doenças relacionadas à idade são causadas por um excesso de radicais livres em vários tecidos. Existem evidências de que o dano causado pelos radicais livres contribui para as lesões nos tecidos cerebrais encontradas na Doença de Alzheimer. A função dos agentes antioxidantes é exatamente combater os radicais livres. Estudos recentes têm investigado a eficácia da suplementação da vitamina E, e de outras medicações com propriedades antioxidantes na frenagem da evolução dessa doença. Os resultados são encorajadores.

Agentes fitoterápicos, como o ginkgo biloba: na literatura médica existe também o relato de um estudo controlado sobre os benefícios do ginkgo biloba nos processos cognitivos. É importante ressaltar, contudo, que as preparações de ginkgo biloba encontradas nas lojas de produtos naturais podem ser bem diferentes da formulação utilizada nesse estudo.

Anti-inflamatórios: os pacientes com Doença de Alzheimer apresentam alterações associadas à inflamação e à função do sistema imunológico, que podem representar um reflexo da atividade inflamatória do cérebro. A questão é saber se a inflamação está contribuindo para o fenômeno de deterioração das células cerebrais ou se é apenas uma reação às placas e emaranhados que, de fato, não causa nenhum malefício. No entanto, há motivos para vários pesquisadores estarem otimistas quanto à possibilidade de que a supressão da inflamação cerebral com anti-inflamatórios possa trazer benefícios importantes em relação à Doença de Alzheimer. Relativamente ao atraso da progressão da doença, a utilização de doses muito elevadas de vitaminas, antioxidantes e ômega-3 não deverá ser recomendada com essa finalidade. Contudo, devemos levar em conta que esses doentes apresentam, geralmente, problemas nutricionais e de mobilidade (atividades físicas) que tendem a agravar-se à medida que a doença avança, e que as deficiências nutricionais constituem uma das principais causas de morte, motivo pelo qual o importante papel do nutricionista no tratamento do Alzheimer não deverá ser negligenciado.

4. Doença de Parkinson

A Doença de Parkinson foi identificada e descrita pelo médico cirurgião inglês James Parkinson em 1817. É uma doença que ocorre quando certos neurônios morrem ou perdem a capacidade de atuar no controle dos movimentos do corpo. As zonas do cérebro afetadas são as que têm funções de controlar os movimentos inconscientes, como é o caso dos músculos da face (da comunicação emocional inconsciente) e os das pernas quando o indivíduo está de pé, entre outros.

Como consequência, a pessoa pode apresentar tremores, rigidez dos músculos, dificuldade de caminhar e mudar de direção, dificuldade de se equilibrar, de engolir e finalmente de respirar. Como esses neurônios morrem lentamente, os sintomas são progressivos e nas fases avançadas pode haver comprometimento intelectual.

O curso da doença pode durar de 10 a 25 anos após o surgimento dos sintomas. O agravamento contínuo dos sintomas leva a alterações radicais na vida do doente e, frequentemente, à depressão profunda.

De acordo com dados da Organização Mundial da Saúde (OMS), 1% da população mundial acima de 65 anos provavelmente sofre de mal de Parkinson. No Brasil, a estimativa é de que ela acometa mais de 200 mil pessoas, independentemente de etnia, sendo ligeiramente mais comum em homens. Os sintomas da Doença de Parkinson costumam aparecer na faixa etária de 55 a 65 anos, embora existam casos a partir dos 35 anos.

Essa doença não é fatal, mas fragiliza e predispõe o doente a outras patologias, como pneumonia de aspiração (o fraco controle muscular leva a deglutição da comida para os pulmões) e outras infecções devido à imobilidade.

Nessa doença acontece a disfunção ou morte dos neurônios que produzem o neurotransmissor dopamina no sistema nervoso central. O local primordial de degeneração neuronal no parkinsonismo é a *substância negra*, presente na base do mesencéfalo, uma estrutura do cérebro que participa do controle e da coordenação dos movimentos, assim como da manutenção do tônus muscular e da postura. O mais preocupante é que os sintomas só aparecem quando cerca de 80% desses neurônios já morreram.

Os primeiros sintomas são rigidez muscular e tremor em repouso, relativamente amplo e lento, principalmente nos dedos, que diminui ou desaparece quando se inicia o movimento. Os movimentos involuntários são muito prejudicados e ficam cada vez mais lentos e pobres. O rosto pode ficar inexpressivo e a fala monótona e sem melodia. A escrita pode ficar minúscula. A rigidez da musculatura está ligada à instabilidade postural, que leva o doente a adotar uma postura curvada, como um esquiador, e andar com passos rápidos e arrastados.

Diante desses sintomas, é comum aparecerem sinais de depressão, como falta de apetite, cansaço e alterações do sono. Na evolução, começam a surgir dificuldades para administrar a vida cotidiana, que podem tornar a pessoa incapaz de cuidar de si própria ao longo da evolução da doença.

Diversas alterações podem levar ao aparecimento de sintomas semelhantes aos da Doença de Parkinson, como acidentes vasculares cerebrais (AVCs), envenenamento por metais, asfixia por monóxido de carbono, além de outras doenças degenerativas que causam distúrbios dos movimentos e deficiências intelectuais. Alguns fatores aumentam o risco:

Doenças primárias: a forma predominante do Parkinson é idiopática e está ligada ao envelhecimento. Contudo, existem outras formas de parkinsonismo com outros históricos, mas a mesma manifestação clínica. Nesse grupo incluem-se os parkinsonismos derivados de uma doença primária, como encefalites (infecções virais, por exemplo), doença de Wilson (distúrbio do acúmulo de cobre em diversos órgãos incluindo o cérebro) ou causados por uso prolongado de determinados fármacos antipsicóticos.

Ação de toxinas ambientais: substâncias que podem destruir neurônios da substância negra.

Excesso de radicais livres: a deficiência de agentes antioxidantes ou o acúmulo de radicais livres produzidos normalmente durante a metabolização da dopamina.

Anormalidades nas mitocôndrias: mitocôndrias são estruturas celulares que existem em todos os tecidos. Esse é o local onde acontece a geração da energia vital (oxigênio + glicose + água = energia vital). Nelas também acontece a produção de pequenas quantidades de radicais livres, mas, anormalmente, passam a produzir cargas excessivas desses agentes de envelhecimento.

Predisposições genéticas: podem aumentar o risco de perda de neurônios, por exemplo, devido a uma maior sensibilidade a toxinas ambientais. Existem casos de Doença de Parkinson com histórico de genética hereditária. A doença genética pode ser autossômica dominante (do gene da alfa-sinucleina) ou autossômica recessiva (gene da parkina). Esse segundo subtipo surge com frequência em doentes mais jovens, de aproximadamente 35 anos.

Tratamento da doença

Para o tratamento da Doença de Parkinson, a terapia fisioterápica atua em todas as fases do adoecimento, para melhorar as forças musculares, a coordenação motora e o equilíbrio. O parkinsonismo secundário pode ser melhorado pela resolução da doença primária subjacente. Contudo, uma vez detectada, a Doença de Parkinson e outras variantes primárias são incuráveis e a terapia visa melhorar os sintomas e retardar a progressão.

Muitos pacientes com Parkinson, sobretudo nos estágios iniciais, não precisam de tratamento medicamentoso, pois as manifestações da doença não impedem uma vida normal. A terapia farmacológica visa restabelecer os níveis de dopamina no cérebro. É iniciada assim que o paciente sinaliza diminuição da qualidade de vida devido aos sintomas. Vários tipos de fármacos são usados, incluindo agonistas dos receptores da dopamina, inibidores do transporte ou degradação da dopamina extracelular e outros não dopaminérgicos.

Existem pesquisas que procuram encontrar medicamentos neuroprotetores, cujo intuito é proteger o cérebro do desenvolvimento da doença e impedir a sua instalação, mas esses medicamentos ainda não estão disponíveis. O neurologista deverá ser consultado para que se possa definir se há necessidade de remédios e quais deverão ser empregados.

Cirurgicamente, é possível fazer palidotomia (excisão do globo pálido). Mais recentemente, descobriu-se que é preferível estimular o globo pálido com eletrodos, cuja ativação é externa e feita pelo médico e pelo paciente. Trata-se da neuromodulação. Costumamos pensar no cérebro como um órgão apenas relacionado a atividades intelectuais, mas essa é uma percepção equivocada. Em última instância, está no cérebro a origem de praticamente todas as funções fisiológicas do ser humano. A técnica de neuromodulação parte desse princípio para tratar doenças tão diferentes como a epilepsia, a depressão e a própria Doença de Parkinson.

4. O segredo da juventude está nos telômeros

Durante muito tempo, os cientistas buscaram entender o que nos fazia envelhecer e perder nossas capacidades biológicas, na intenção de, talvez, driblar os efeitos deletérios do tempo em nosso organismo. Em 2009, a dra. Elizabeth Blackburn recebeu o Prêmio Nobel de Medicina pela descoberta revolucionária do mecanismo que seria a base molecular do envelhecimento. Ela descobriu basicamente que os cromossomos são protegidos por extremidades, chamadas telômeros, cujo encurtamento determina o envelhecimento e a morte celular.

A dra. Elizabeth Blackburn e a dra. Elissa Epel, professora do Departamento de Psiquiatria da Universidade da Califórnia, em São Francisco, lançaram um livro sobre o assunto chamado *O Segredo Está nos Telômeros* (Editora Planeta, 2017), no qual relatam que, além da descoberta da dra. Elizabeth, existe uma receita revolucionária para manter a juventude e viver mais e melhor. Elas nos contam quais hábitos influenciam a integridade das células responsáveis pelos mecanismos que controlam o envelhecimento do nosso organismo.

Mesmo se tratando de uma obra que aborda um tema da área de medicina e biologia por meio de pesquisas de ponta, o livro foi escrito em linguagem simples, direta e de fácil compreensão. As autoras o escreveram dessa forma porque todos nós precisamos acessar, o quanto antes, todos os conhecimentos que elas abordam nesse livro. Ao longo das 440 páginas que compõem a obra, Elizabeth Blackburn e Elissa Epel relatam os quatro pilares para conquistar o processo de envelhecimento desacelerado com saúde e qualidade de vida em todos os sentidos. São eles:

- Alimentação o mais consciente possível
- Atividade física
- Meditação
- Ócio criativo (lazer meditativo, terapia do riso, bom humor e resiliência)

Em um artigo científico publicado em 10 de maio de 2017 no *Science Daily*, intitulado "High Levels of Exercise Linked to Nine Years of Less Aging at the Cellular Level: New Research Shows a Major Advantage for Those Who Are Highly Active" [Níveis elevados de exercício estão associados a nove anos a menos de envelhecimento em nível celular: novas pesquisas mostram uma maior vantagem para aqueles que são altamente ativos].

Sob a responsabilidade da Brigham Young University (Utah, EUA), o artigo foi originalmente publicado como um estudo realizado por Larry Tucker, professor de Ciência do Exercício na mesma universidade, e publicado na revista médica *Preventi-*

ve Medicine. O artigo afirma que, apesar dos seus melhores esforços, nenhum cientista chegou perto de impedir o envelhecimento dos seres humanos. Mas novas pesquisas da Brigham Young University revelam que você pode diminuir um tipo de envelhecimento, aquele que acontece dentro de suas células, se você estiver disposto a transpirar. Só porque você tem X anos, não significa que você tem mesmo X anos em termos biológicos. Aliás, hoje em dia, é cada vez mais comum conhecermos pessoas que parecem ser muito mais jovens do que de fato são. Segundo Tucker: "Quanto mais fisicamente ativos somos, menos envelhecimento biológico ocorre em nossos corpos".

O estudo realizado por Tucker descobriu que as pessoas que prarticam níveis consistentes de atividade física têm telômeros significativamente maiores do que aquelas com estilo de vida sedentário, inclusive as que são moderadamente ativas. Os telômeros são as extremidades proteicas de nossos cromossomos, e são como o nosso relógio biológico. Estão extremamente correlacionados com a idade, e cada vez que uma célula se replica, perdemos uma minúscula parte dessas extremidades. Portanto, quanto mais velhos ficamos, mais curtos são os nossos telômeros.

Esse estudo descobriu que adultos com altos níveis de atividade física têm telômeros com envelhecimento biológico nove anos mais jovens em relação aos telômeros de pessoas sedentárias, e aqueles com atividade física moderada têm telômeros com envelhecimento biológico sete anos mais jovens em comparação com os de indivíduos sedentários. Tucker observa ainda que para serem consideradas altamente ativas, as mulheres devem praticar 30 minutos diários de corrida, cinco dias por semana, enquanto para os homens essa prática deve ser de 40 minutos.

Embora o mecanismo exato de como o exercício preserva os telômeros seja desconhecido, Tucker diz que pode estar ligado à inflamação e ao estresse oxidativo. Estudos anteriores mostraram que o comprimento dos telômeros está intimamente relacionado com esses dois fatores e é sabido que o exercício pode surpimi-los ao longo do tempo. E completa: "Sabemos que a atividade física regular ajuda a reduzir a mortalidade e a prolongar a vida, e agora descobrimos que parte dessa vantagem pode ser devido à preservação dos telômeros".

Desse modo, a partir de estudos como o apresentado por Larry Tucker, sabemos que a atividade física regular ajuda a melhorar nosso humor, nossa produtividade, nossa criatividade, nossa saúde e nosso bem-estar, assim como a reduzir a mortalidade precoce, as doenças neurodegenerativas e a prolongar a vida, ajudando a manter o cérebro e a mente "despertos". Agora sabemos que parte dessa vantagem pode ser consequência da preservação dos telômeros dos cromossomos em nossas células.

✨ Capítulo 7 ✨

Os Exercícios Cerebrais

O movimento do corpo é a porta para o aprendizado.
Ele é essencial à vida. Sem o movimento, não existe vida nem
ocorre o pleno desabrochar do potencial interior.
– Dr. Paul Dennison

Toda emoção se expressa no sistema muscular.
– Bruce Lee

A base dos exercícios cerebrais que apresento neste capítulo é que, por meio do corpo e de todos os seus sentidos, percepções e movimentos, podemos provocar estímulos que mantêm o cérebro mais desperto. Movimentos novos para você e determinados estímulos são eficazes para atingir esse propósito.

Um cérebro que recebe estímulo constante se torna um cérebro "vivo", ativo e tônico, sempre preparado para novos aprendizados. Ao contrário, um corpo sem movimento, preguiçoso, que evita desafios, o novo, a brincadeira de explorar o desconhecido, o ato de se divertir, está deixando seu cérebro atrofiado, atônico, rígido, tenso, em processo de senilidade e morte.

Simples e agradáveis, os exercícios propostos aqui têm por objetivo estimular e aprimorar a experiência do aprendizado, tornando mais fácil o desenvolvimento de todos os tipos de inteligência. Eles são ideais para todas as idades porque estimulam o cérebro para seu pleno funcionamento. Além de rejuvenescerem, eles ativam as "zonas de silêncio" (zonas sem neurônios, pontes ou ramificações) do cérebro, permitindo a maior ramificação de velhos neurônios, ou mesmo a geração de novas células. Essas novas células vão se ligar mais rápida e facilmente a outras já existentes, desenvolvendo novas sinapses, ou seja, novas aptidões, novos registros (conhecimentos e aprendizados) e novas inteligências, maior capacidade de concentração e maior vivacidade mental.

Os exercícios cerebrais nos auxiliam a aperfeiçoar o desempenho das tarefas diárias como ler jornal, entender as notícias do rádio e da TV, lembrar, sem anotar, o que é necessário fazer ao longo do dia ou comprar no supermercado e nos concentrar nas conversas e brincadeiras com os amigos, filhos e netos. Eles proporcionam o fortalecimento da comunicação entre os neurônios, facultando maior rapidez nas associações de ideias e melhor interação entre as pessoas e entre as fontes de informação, o que facilita a memorização e o aprendizado. Eles combatem o estresse, a ansiedade e a depressão, bem como auxiliam no tratamento desses males, resgatando a lucidez, a qualidade do sono, as realizações, a compreensão e a interatividade, além de prevenirem o envelhecimento cerebral, ao evitar perdas funcionais e de desempenho.

A prática dos exercícios cerebrais gera modificações no registro da informação e no comportamento, que são, muitas vezes, imediatas e profundas, pois possibilitam que o cérebro receba e expresse, simultaneamente, uma informação.

1. Origem e benefícios dos exercícios cerebrais

Estudando exercícios milenares, como as lamaserias e o yoga, é possível perceber que os exercícios cerebrais são praticados há milênios. A busca pelo uso mais pleno da mente é algo que transcende os registros históricos. Entretanto, nas últimas décadas, muitos profissionais têm investido não só no maior entendimento do funcionamento do cérebro – como é o caso dos neurocientistas, neurobiólogos, médicos, psiquiatras e psicólogos –, como também em formas de otimizar a qualidade de vida e o aprendizado – como é o caso dos professores, desportistas e fisioterapeutas. Os avanços tecnológicos já permitem monitorar e mensurar resultados positivos de práticas antigas, como o yoga e a meditação, e de diferentes tipos de exercícios físicos, como o alongamento e os exercícios aeróbicos e anaeróbicos, recomendados para a saúde do organismo.

Paul E. Dennison, Ph.D. cuja vida profissional foi inteiramente dedicada à educação, criou em 1959 a Educação Cinestésica e foi o pioneiro da pesquisa cerebral aplicada. Suas descobertas foram baseadas na compreensão da interdependência entre o desenvolvimento físico, a aquisição da linguagem e o desempenho acadêmico. Durante dezenove anos, o dr. Dennison trabalhou como diretor do Valley Remedial Group Learning Center, em Phoenix, nos Estados Unidos, e ajudou crianças e adultos a superarem suas dificuldades.

Mais recente é o trabalho de Lawrence C. Katz, Ph.D., professor de neurobiologia no Centro Médico da Universidade Duke (EUA), e pesquisador do Instituto Médico Howard Hughes. Suas pesquisas sobre as neurotrofinas e o efeito delas sobre o crescimento das células nervosas tiveram um amplo reconhecimento da comunidade científica, o que o inspirou a escrever o livro *Mantenha o seu Cérebro Vivo* (Editora Sextante). Nele o leitor é incentivado a praticar exercícios neuróbicos, que enfocam principalmente o estímulo dos cinco sentidos (percepções sensoriais) e a mudança de hábitos para acordar e manter o cérebro vivo.

Vejamos mais especificamente o que os exercícios cerebrais podem fazer por nós:

- Estimulam o interesse pela leitura e pelos estudos.
- Exercitam os músculos responsáveis pelos movimentos dos olhos, ativando a visão e aumentando a velocidade de leitura.
- Tornam mais simples e diretas a comunicação verbal e a escrita.
- Melhoram o registro auditivo (ouvir é captar, escutar é registrar).
- Quando acontece algum bloqueio no raciocínio (o "branco"), ajudam-nos a saber como recomeçar.
- Criam energia extra para várias atividades importantes da vida e para o autoconhecimento.
- Ao integrar os hemisférios, melhoram o equilíbrio emocional e a autoestima e aumentam a serenidade.
- Melhoram a concentração e ativam a memória.
- Despertam a criatividade.
- Despertam o lúdico, a capacidade de brincar e de encontrar o entusiasmo.
- Despertam a apreciação pelo silêncio, pela reflexão e pela meditação.
- Constroem pontes entre o emocional, o psicológico e o espiritual.
- Relaxam a mente e toda a musculatura do pescoço e da face.
- Liberam tensões musculares acumuladas em vários pontos do corpo.
- Exercitam as cordas vocais, fortalecendo a voz.

- Facilitam a digestão e a respiração por meio do treinamento do abdômen, com exercícios respiratórios simples.
- Melhoram a prática e o desempenho esportivo.
- Proporcionam mais dinamismo aos movimentos corporais.
- Aperfeiçoam a escrita.
- Dão motivação para executar as tarefas diárias.
- Estimulam o consumo de água, vital para a saúde do cérebro e das células.
- Ativam o raciocínio lógico.
- Permitem tomadas de decisões mais rápidas e assertivas (pensamento analógico).

2. Como ligar, ativar e turbinar o cérebro

Existe uma sequência natural e inteligente para ligarmos o cérebro, para depois ativá-lo e usá-lo:

1. Para ligar: água + oxigênio.
2. Para desobstruir: terapia do riso + exercícios de relaxamento e alongamento.
3. Para turbinar: atividade física + exercícios de integração.

A água é o condutor elétrico

A passagem das informações de um neurônio para outro, dentro da rede de comunicação cerebral, ocorre por estímulos eletroquímicos ou eletromagnéticos. Assim, a água, por ser um eficiente condutor de eletricidade, cumpre um papel de extrema importância para o pleno funcionamento do cérebro.

O corpo de um adulto costuma conter normalmente entre 60 a 65% de água. Menos que isso não é nada bom. Quando uma pessoa sente sede, ela já está num processo de desidratação, em algum grau. Quando há uma queda de 5% nesse percentual de água corpóreo, acontece em paralelo uma queda de quase 30% no desempenho do cérebro.

O recomendável é não esperar a sensação de sede chegar, mas tomar um pouco de água, chá ou suco a cada hora e ingerir o primeiro copo logo ao se levantar pela manhã, ainda em jejum.

A água é necessária para todo e qualquer processo biológico, reação química ou ação mecânica que ocorra no corpo. Ela é crucial para o desempenho mental e físico, difundindo o oxigênio por todas as células, ionizando sais e produzindo os eletrólitos necessários para a atividade elétrica de todo o sistema de comunicação cerebral, celular e metabólica.

Figura 5 – *Percentual de água no corpo*.
Fonte: Site Difusão Autoecologia
(http://www.difusaoautoecologia.com/)

Existe uma tendência natural no idoso para sentir menos sede ou mesmo para se esquecer de tomar água. Esse é um fato complicador, que altera drasticamente a capacidade de comunicação celular e eletroquímica, sintomático de problemas de memória, concentração e agilidade mental.

O oxigênio é o combustível

Podemos ficar sem alimento (apenas nos hidratando) por até trinta dias. Embora não seja recomendável, podemos ficar sem água por até três dias; sem oxigênio, somente 4 minutos.

Oxigênio é vida e, para o cérebro, é a fonte máxima de energia. Portanto, saber respirar de maneira correta e plena faz com que a voltagem do cérebro jamais caia ou falhe.

Você já percebeu como ficam as lâmpadas e os aparelhos elétricos quando cai a voltagem em sua casa ou escritório? Pois é. Exatamente o mesmo acontece com o nosso cérebro quando respiramos de modo inadequado.

E quando esse modo inadequado de respirar é nosso hábito de vida? Qual seria então a nossa voltagem?

Felizmente, durante o sono, a maioria das pessoas respira da maneira ideal, mas ao acordar damos início à forma precária de abastecer o organismo e o cérebro com o seu principal combustível – o oxigênio. Portanto, reaprender a respirar é fundamental para conquistarmos uma inteligência plural e maior capacidade de uso do poder pensante.

Existem muitos exercícios respiratórios, alguns para reeducar, outros para hiperventilar, outros para relaxar. As várias técnicas de meditação são especiais, pois fazem uso desse poder que a respiração tem: acordar a vida, sustentá-la, acalmar as emoções, alterar o estado de consciência.

O riso é a faísca

O riso funciona como uma faísca que ilumina o caminho mais rápido para a integração entre os dois hemisférios cerebrais: o racional e o analógico. O riso cria atalhos de acesso entre os desafios e as soluções. Ele relaxa as tensões da mente racional e rígida e abre caminho para o lúdico, o espontâneo e o criativo. Aumenta as capacidades de defesa de todo o organismo e a capacidade de digestão dos alimentos e dos desafios da vida, como também a capacidade de empatia, compaixão e afetividade tanto por você mesmo como por todos.

3. Exercícios divinos de cura: respiração

Esses exercícios eram ocultos e praticados somente por mestres e sábios do Oriente. Nesta Nova Era, época em que todas as ciências ocultas estão à disposição de todos, esses exercícios poderosos de respiração e harmonização corporal foram divulgados ao público.

Trata-se de uma série de exercícios extraída de uma técnica de meditação, chamada originalmente de *Divine Healing Meditation* ou Meditação Divina de Cura. Aprendemos e praticamos esses exercícios durante uma viagem à Índia e até hoje eles nos proporcionam resultados impressionantes e positivos.

Eles têm a propriedade de harmonizar toda a nossa energia, eliminando bloqueios do corpo emocional, exatamente por onde passam todos os meridianos energéticos reconhecidos pela Medicina Tradicional Chinesa.

Um fato curioso é que, ao fazer o curso da ginástica cerebral criada pelo dr. Dennison, pude perceber que há muito em comum entre a técnica dele e esses exercícios.

A série dos exercícios respiratórios

Todo exercício respiratório é benéfico para o corpo físico, porque relaxa, expande os alvéolos dos pulmões e permite a entrada máxima de oxigênio e prana (energia cósmica) no organismo. Para os corpos emocionais e mentais, a respiração plena favorece a clareza, a percepção ampliada, o equilíbrio e a integração das inteligências e dos hemisférios.

A prática é realizada de pé, com os pés separados na largura dos ombros, os joelhos levemente flexionados, o quadril encaixado (para evitar qualquer tensão na lombar), e ombros, coluna, rosto e maxilares relaxados. Recomenda-se a prática pela manhã, ao ar livre ou de frente para uma janela aberta. As roupas devem ser leves e a cintura deve ser mantida livre.

Inspirar: enlaçar as mãos pelas pontas dos dedos, como que fechando nosso circuito; erguer os braços sobre a cabeça; tentar abrir os braços, para fortificar o ponto de selagem (os dedos ligados). **Expirar:** baixar os braços, mantendo as mãos enlaçadas.	**Inspirar:** com as palmas das mãos para cima, erguer os braços acima da cabeça. **Expirar:** separar os braços alongando-os. Baixá-los lateralmente com as palmas das mãos para baixo.	**Inspirar:** erguer os braços lateralmente, mantendo-os unidos acima da cabeça. **Expirar:** pressionando as palmas das mãos uma contra a outra, baixá-las e mantê-las na frente do cardíaco, em posição de prece.

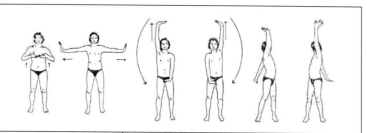

Inspirar: palmas das mãos para cima. Erguê-las juntas até a altura dos ombros. Separar as mãos lateralmente, alongando, como se estivesse afastando paredes imaginárias à sua volta. **Expirar:** relaxar as mãos e baixá-las lateralmente.	**Inspirar:** palma da mão direita para cima e da mão esquerda para baixo. Elevar o braço direito, alongando-o. Ao mesmo tempo, baixar o braço e palma esquerdos, alongando-os como que "separando céu e terra". **Expirar:** inverter a posição dos braços e palmas.	**Inspirar:** braços relaxados na lateral do corpo. **Expirar:** braço esquerdo baixado e palmas apontadas para o chão. Braço direito erguido e palmas apontadas para o alto. Girar diagonalmente tronco e cabeça para a esquerda, até enxergar o calcanhar do pé direito. Repetir o movimento invertendo a posição dos braços e o sentido da rotação.

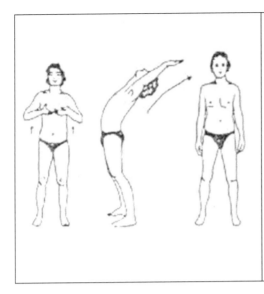

	Inspirar: com os joelhos levemente flexionados, quadril encaixado e as palmas das mãos juntas apontadas para cima, erguer e abrir os braços, inclinando a coluna levemente para trás (abrindo o cardíaco).
	Expirar: baixar e relaxar os braços e ombros; quadril encaixado.

Figura 6 – *Exercícios divinos de cura.*

A série completa tem sete movimentos, que devem ser feitos em sincronia com a respiração: inspirar pelo nariz, inflando os pulmões e o abdômen (respiração abdominal), expirar pela boca, permitindo o alongamento e a expansão do movimento. Cada exercício deve ser repetido três vezes.

4. Exercício para irrigar o cérebro

Deitado sobre um colchonete, leve os braços para o lado do corpo e levante as pernas verticalmente, até formar um ângulo de 90 graus com o tronco. Se for preciso, use as mãos para ajudar a sustentar as pernas no alto, segurando-as pela parte posterior dos joelhos.

Não é preciso levantar as nádegas do chão. Na verdade, as costas devem estar firmemente apoiadas no solo. Essa posição inversa é o que se chama, no Oriente, de Viparita. Nessa postura, o sangue flui com grande intensidade para a cabeça, trabalhando profundamente a região cerebral e despertando e fortificando os sentidos da visão, do olfato, do tato, da audição e do paladar. Permaneça nessa posição por alguns minutos de olhos fechados e respirando pelo abdômen.

5. Exercícios de motivação e terapia do riso

Somente diante de uma atitude positiva existe espaço para o aprendizado. O ser humano só aprende e registra quando está em uma atitude positiva de ânimo: animado, bem-humorado. Lembremos a célebre frase de Henry Ford: "Se você pensa que pode, você está certo. Se você pensa que não pode, você também está certo".

A mente que se julga pronta suplanta obstáculos. As dificuldades estão dentro de nós e não fora. Se você pensa que não é capaz de aprender, não vai aprender ou terá um aprendizado limitado. O negativismo tem embutida uma atitude mental de bloqueio e rigidez que inviabiliza o aprendizado.

Procure repetir frases, como as relacionadas abaixo, para trabalhar a autoestima e a autoconfiança. Livre-se de afirmações negativas e pessimistas.

- Desejo, a cada dia, estar mais comprometido com a minha paz.
- Transformo a polaridade dos meus pensamentos com a minha determinação em mudar minha alquimia mental.

- Tenho facilidade e coragem para aprender.
- Confio na minha capacidade e vontade para aprender.

Ganchos de Cook

Esse exercício é indicado para nos reanimar quando nos sentimos com a energia baixa. Foi desenvolvido por Wayne Cook, um perito em energia eletromagnética.

O primeiro benefício do exercício 1 a seguir é o de conectar simultaneamente todos os circuitos de energia do corpo e, na sequência, estimular a mobilização de qualquer energia bloqueada. No exercício 2, a junção das pontas dos dedos equilibra e conecta os dois hemisférios cerebrais, fortalecendo a energia eletromagnética do corpo, especialmente em ambientes estranhos ou que causam estresse, como aqueles que incluem computadores, luzes fluorescentes, TV ou ar-condicionado. Esses exercícios aumentam a vitalidade e a autoestima, reduzem a ansiedade e as atitudes negativas e proporcionam um foco mais aguçado.

Exercício 1: Sentado com os pés cruzados, abra os braços amplamente como um Cristo Redentor. Vire os polegares para baixo. Traga os braços estendidos, com os polegares apontando para baixo, para a frente do corpo. Cruze as mãos de tal forma que as palmas fiquem de frente uma para a outra. Dê as mãos e entrelace os dedos fechando-as num aperto de mãos. Traga as mãos cruzadas para junto do coração com os dedos voltados para cima. No final, é como estar se dando um abraço. Essa postura corporal transmite ao cérebro uma mensagem de amor, autoestima e prazer pela vida. Mantenha os olhos fechados e uma respiração abdominal plena, profunda e relaxada. O ideal é colocar a ponta da língua

tocando o fundo do céu da boca, o que, segundo os yogues, é uma forma de estimular a glândula pineal. Faça por 1 minuto ou mais.

Exercício 2: Descruze os pés, posicionando-os lado a lado e mantendo-os apoiados no chão. Aproxime as mãos suavemente, unindo apenas as pontas dos dedos, como se estivesse segurando uma bola. Mantenha os olhos fechados e uma respiração abdominal plena, profunda e relaxada. Faça o exercício por 1 minuto ou mais. Repita-o com as mãos entrelaçadas.

Exercício dos pontos positivos
Os pontos estão localizados acima do centro de cada sobrancelha e a meio caminho da raiz do cabelo. São pontos de acupuntura conhecidos especificamente por disseminarem o reflexo lutar-ou-fugir, aliviando o estresse emocional. Tocar esses pontos transfere a resposta do cérebro ao estresse, do mesencéfalo (parte mais baixa e reptiliana do cérebro) para a parte frontal do cérebro (o lóbulo frontal), permitindo uma resposta mais lúcida e positiva.

Pressione suavemente cada um dos pontos com três dedos juntos de cada mão (polegar, indicador e médio). Feche os olhos e pressione os pontos ligeiramente durante seis a dez respirações lentas e completas ou por 1 minuto. Inspire permitindo o relaxamento e a chegada das soluções. Expire mentalizando o negativo indo embora.

Como alternativa a esse exercício, você pode massagear toda a região dos lóbulos frontais (testa) com movimentos suaves e circulares por 1 a 2 minutos.

Praticando a terapia do riso

Eugène Ionesco, o grande dramaturgo romeno, dizia que "O bom humor é a menor distância entre duas pessoas". Seu pensamento, no entanto, pode ser reescrito de muitas formas, como, por exemplo: o bom humor é a menor distância entre o desafio e a solução. Ou o mau humor é a maior distância entre duas pessoas, também entre o desafio e a solução.

Existem muitas formas de praticar o lúdico, o riso, a brincadeira, o bom humor. Aliás, quanto mais praticamos, mais criativos ficamos, e novas maneiras de se divertir com a vida surgem.

Os benefícios não param de ser estudados e relatados. Hoje, profissionais de todas as áreas da ciência e do conhecimento chegaram a um consenso, embora a partir de diferentes expressões: rir é o melhor remédio. Essa é a mais alquímica das bioquímicas. Como num texto que escrevi: *"Sitocol risus ativus* – a Droga do Século". Qual século? Todos! Somente a partir de posturas positivas, o cérebro apreende, registra, cria novas conexões, abstrai e transcende.

Comece sua manhã com umas boas gargalhadas, dizendo a si mensagens positivas de amor por você mesmo. Como estou? O que faço para mudar? Cadê o sol? Cadê a minha toalha cheirosa? Ria pela manhã ao se levantar, no espelho ou no chuveiro, saudando-se com algumas caretas e risadas, agradecendo e celebrando o novo dia que se inicia. Ria, ria, ria e diga "amo você, amo você, amo você de verdade e sempre vou amar". Siga rindo até não querer mais. Ria de você, da sua vida, das suas gafes, das suas culpas, dos seus problemas.

Pratique a risada, o bom humor e deixe fluir. O riso é a menor distância entre o problema e a solução. É a menor distância entre duas pessoas. É a menor distância entre o seu lado sombra e o seu lado luz. Não há sombra que se perpetue sob o *flash* de uma gargalhada. Escute as mensagens que lhe vêm por meio da risada. Descubra resistências aos obstáculos inconscientes ao seu próprio bem e à sua própria felicidade.

Quanto mais praticar a terapia do riso, diariamente ou muito frequentemente, no mínimo por 5 a 10 minutos, mais depressa suas barreiras internas serão derrubadas. Você vai perceber uma vontade crescente e incontrolável de desfrutar a risada, com a alegria e com o amor, e de se conectar com ela.

Comece com ra-ra-ra, re-re-re, ri-ri-ri, ro-ro-ro, ru-ru-ru; isso vai provocar a risada. Esse início já é muito engraçado. Começamos achando que nossa risada é sem graça, amarela, insossa, fraca, dispensável e ridícula. Como estamos sempre emburrados, preocupados, acelerados, desconectados do prazer de viver, o nosso risômetro apresenta vários níveis de ferrugem ou esclerose. Com a prática, rapidamente o nosso risômetro volta a ser forte, sadio e contagiante, como quando éramos crianças espontâneas.

A fisionomia de quem não tem o hábito de rir é sempre fechada, triste e séria. Quando começamos a praticar a terapia do riso, ficamos muito mais bonitos. Gérard Jugnot, um ator francês, diz que "O riso é como um limpador de para-brisa; ele nos permite seguir em frente, chegar ao nosso destino, mesmo diante da chuva ou temporal". Eu concordo, e você não imagina a quantidade de alegria que irradiamos e atraímos quando estamos bonitos, com *risus ativus*.

6. Exercícios sensoriais

Para fazer exercícios sensoriais, em primeiro lugar é preciso saber qual seu canal sensitivo dominante. Estatísticas mostram que, apenas ouvindo, retemos no máximo 20% do que nos é ensinado e, apenas observando, retemos até 30%. Se ouvirmos e observarmos, podemos reter, no máximo, cerca de 50% das novas informações. Mas se nos envolvermos – usarmos o sistema límbico, o olfato e o hemisfério direito –, a capacidade de aprendizado e memorização sobe para 70%. E se buscarmos colocar em prática aquilo que nos estiver sendo ensinado, a capacidade de assimilação pode chegar a 95%. Como afirmam os sábios, saber e não fazer é o mesmo que não saber.

Cada um dos cinco sentidos, ou canais sensoriais, tem áreas específicas no cérebro onde são armazenadas as percepções e as memórias. Por exemplo, existem pelo menos trinta áreas especializadas apenas para o sentido da visão. E o sentido do olfato é o único que tem acesso direto das vias nasais para o sistema límbico, no cérebro.

Os cinco sentidos são os portais por meio dos quais o cérebro entra em contato com o mundo exterior. Dependemos primariamente dos sentidos da visão e da audição porque eles nos revelam rapidamente as condições do ambiente ao redor. Os demais sentidos – olfato, paladar e tato – são usados com menor precisão. Mas, no passado, o olfato era muito mais relevante, pois era usado para seguir a caça, sentir as mudanças do clima e até diagnosticar doenças pelo cheiro. O sentido do olfato é o que guarda a mais estreita relação com a ativação da memória afetiva e emocional, pois se relaciona diretamente com o hipocampo (centro da formação da memória e dos mapas mentais) e com o sistema límbico (local onde ocorre o processamento das emoções). Assim, o aroma de pão fresco, do café ou de uma flor nos desperta sentimentos que estimulam a lembrança de diversos acontecimentos de nossa vida.

Para que o aprendizado e o registro de novos conhecimentos sejam mais rápidos e efetivos, é fundamental saber qual é o seu canal sensitivo predominante, ou seja, se você apreende o mundo pelo visual, pelo auditivo ou pelo sinestésico (tato).

Com esse reconhecimento, será mais fácil encontrar a melhor maneira de praticar os exercícios cerebrais de estímulo sensorial e em quais colocar mais atenção.

Normalmente, quem é visual fala assim: "Olha aqui, deixa eu te dizer uma coisa". A pessoa visual retém melhor o que vê (desenhos, gráficos) e o que lê. A ortografia normalmente não constitui problema para ela.

O auditivo normalmente diz: "Escuta aqui...". A pessoa gosta de estudar em voz alta, recorda palavras que o professor disse e distingue muito bem a voz das pessoas ao telefone.

Já o indivíduo cinestésico diz: "Sente só, que coisa bacana". Normalmente os cinestésicos têm uma voz mais bonita. Na categoria dos cinestésicos estão incluídas as sensações de tato, temperatura, posição corporal e também os sentimentos, como os de alegria e de depressão. As pessoas nessa categoria aprendem fazendo, manipulando ou escrevendo. Muitas vezes estudam andando ou gostam de estudar em cadeiras macias. Em classe, conseguem prestar mais atenção quando o professor se movimenta pela sala.

É importante lembrar que, em situações de estresse ou de ansiedade, a pessoa fica mais apegada ao seu canal sensitivo predominante e, nesse caso, é fundamental desativar essa automatização com exercícios que fortaleçam as áreas sensoriais do cérebro que estão menos ativas.

Estimulando os cinco sentidos

A ideia é reconhecer e valorizar o seu sentido dominante (pode ser mais de um), fazendo uso consciente dele para tornar mais ricos e fáceis os processos de aprendizagem e estimulação dos demais sentidos.

Procure ampliar os limites da percepção da vida. Estimular o uso dos canais sensitivos que estão menos calibrados e tônicos pode acelerar e aumentar a ramificação dos neurônios, portanto as sinapses ou conexões cerebrais, que são responsáveis pelo desenvolvimento de novas aptidões e inteligências. Veja a seguir os exercícios de estímulo dos canais dos cinco sentidos.

Canal visual: olhe à sua volta por alguns minutos; feche os olhos e tente se lembrar do que viu, reconstituindo tudo, sem dar nomes. Faça o mesmo com uma foto ou gravura ou com algum ambiente que tenha lhe agradado no passado. Tape com uma venda (tipo de pirata) o seu olho dominante e passe horas, ou mesmo um dia inteiro, usando somente o seu olho mais "atônico".

Canal auditivo: ouça música tentando reproduzi-la, letra e melodia; decore versos, procure discriminar sons: o timbre da voz das pessoas, pássaros, animais, ruídos da rua ou domésticos. Tape o seu ouvido dominante (aquele que você usa mais ao telefone) e passe horas, ou mesmo um dia inteiro, usando somente o seu ouvido menos sensível.

Canal sinestésico: pratique esportes, dança, tai chi chuan, identifique diferentes objetos apalpando-os sem olhá-los, mexa com terra, plantas, animais. Entre na piscina ou banheira, feche os olhos e vá percebendo a sensação da água (e a temperatura dela) em cada parte do corpo.

Canal olfativo: sempre de olhos fechados perceba o cheiro de cada parte do seu corpo, do seu companheiro, de cada alimento, fruta, água, bebida ou flor. Analise os perfumes que há em sua casa e faça a distinção entre os de aroma doce, cítrico ou amadeirado. Cheire as roupas dos armários e até aquelas que precisam ser separadas para lavar.

Canal gustativo: experimente, com os olhos fechados, diferentes sabores: doces (banana e mamão), cítricos (maçã, tangerina e ameixa), amargo (alcachofra, rúcula e jiló), salgados etc. Mastigue mais que o normal, beba mastigando, enfim faça uma avaliação dos componentes de uma mistura. Experimente alimentos tampando o nariz. Experimente novos alimentos ou pratos de outros países.

É interessante sempre associar ao olfato fatos que deseja memorizar

As memórias que incluem lembrança de odores costumam ser mais intensas e marcantes. Um odor que tenha sido sentido só uma vez na vida pode ficar associado a uma única experiência, e então a sua memória pode ser evocada automaticamente quando volta a encontrar aquele odor. A primeira associação feita com um odor aparentemente interfere na formação das associações subsequentes. É o caso da aversão a um tipo de comida pelo fato de ela estar associada a um mal-estar físico ou emocional, que nada teve a ver com o odor em si.

Comparativamente, quando as associações são visuais ou verbais, há uma interferência retroativa e elas podem ser facilmente perdidas quando uma nova associação surge. Por exemplo, depois que memorizamos o novo número do nosso celular, torna-se mais difícil lembrar-nos do número antigo.

Exercícios sensoriais aproveitando o cotidiano

Todos nós precisamos ter a consciência de que viver já é uma dinâmica de contínuos exercícios cerebrais. Tal consciência poderá tornar mais divertida a prática de "acordar" cérebro. Devemos prestar mais atenção ao nosso cotidiano, utilizar os cinco sentidos de modo mais consciente e praticar a todo momento o estado de alerta, a atenção e a meditação.

Escolha uma ou mais dessas sugestões por dia. Se desejar, invente outras, usando estas como inspiração. É importante trocar o foco e a forma dos exercícios a cada semana.

- Ao acordar, cheire uma essência aromática diferente por uma semana: eucalipto, limão, alecrim, baunilha etc. Feche o frasco e o abra novamente depois de tomar banho e se vestir.
- Tome banho de chuveiro com os olhos fechados, prestando atenção para não cair ou se machucar. Tome consciência da textura e da temperatura da água, do sabão, de sua pele etc.
- Quando tomar banho, use uma série de estímulos sensoriais: óleos aromáticos para banho, sabonetes perfumados, esponjas, escovas, toalhas macias, creme hidratante.
- Escove os dentes com a outra mão. Se a sua mão dominante for a direita, escove os dentes com a esquerda e vice-versa.
- Troque de mão também ao pentear o cabelo, abotoar as roupas, comer, usar o controle remoto.
- Mude suas atividades de rotina: vista-se depois do café, ligue a TV num programa que nunca viu; leve o cachorro para passear por um novo caminho.
- Leia textos em voz alta, se possível caminhando.

- Na hora do sexo, ponha roupas de cetim, espalhe pétalas de rosa pela cama, tome um champanhe gelado (só para comemorar), massageie e receba massagem com óleos aromáticos, ponha uma música para tocar.
- Caminhe descalço pelo seu quarto com os olhos fechados. Conte os passos, perceba a dificuldade (ou facilidade) desse movimento mesmo num local tão conhecido. Abra as gavetas e procure descobrir qual é a peça de roupa que está tocando somente pelo tato e pelo cheiro.
- Mude as coisas de lugar no seu local de trabalho. Troque as coisas de gavetas, os móveis de lugar, os livros nas prateleiras.
- Apague todas as luzes da casa e fique atento a todos os sons. Os seus, os da casa e os externos. Depois, escreva sobre toda a riqueza de sons que o impressionaram. A vida é plena de sons.

A prática dos exercícios cerebrais pode fazer parte da sua vida diária, só depende do quanto você quer desfrutar dos desafios inerentes da vida para aprender e se expandir, de modo mais lúdico.

7. Exercícios antiestresse

Flexibilidade é vida, seja flexível.
Quando um homem está vivo ele é maleável e flexível.
Quando um homem está morto, torna-se rígido.
Corpo e mente. Flexibilidade é vida; rigidez é morte.
– Bruce Lee

No estado de estresse crônico, 60% das conexões neurológicas entre o cérebro e o corpo físico, que necessariamente passam pelo conjunto muscular do pescoço, ficam comprometidas. Como você já deve ter percebido, as pessoas estressadas têm a região da nuca, do pescoço e dos ombros sempre tensa, rígida e dolorida. Os outros 40% das conexões passam pela face. Por isso pessoas tensas normalmente apresentam uma face contraída, fechada e com dificuldade para relaxar ou sorrir. Os exercícios antiestresse devem ser praticados três ou mais vezes por semana, por no mínimo 20 minutos. São basicamente exercícios de alongamento, que aliviam as tensões e as cargas emocionais acumuladas nas couraças musculares. Tal atividade física provoca imediato impacto positivo no cérebro e nos canais sensoriais, porque a produção natural de endorfinas (hormônios do relaxamento e da alegria) vai reduzir a dor, a tensão, a fadiga e a ansiedade; também vai aumentar a capacidade de percepção da vida.

Ao acordar

Quantas vezes você já acordou cansado, sem vontade de sair da cama? Para muitos pode parecer preguiça, mas talvez seja um alerta do corpo: ele quer que você o afague primeiro, está precisando de carinho e atenção. No caso, a melhor solução é espreguiçar-se e alongar-se.

Bastam 5 minutos de estica-e-puxa para o corpo sentir a diferença. O alongamento previne a tensão muscular e alivia o estresse. A prática regular melhora a flexibilidade, reduz o risco de lesões, alivia dores e combate os efeitos do envelhecimento.

- Espreguice-se à vontade – deitado na cama, estique os braços e as pernas o máximo que conseguir. Fique imóvel. Inspire e vá soltando o ar bem devagar. Se der vontade, boceje.
- Flexione os joelhos – ainda deitado de barriga para cima, abrace uma perna e puxe-a em direção ao queixo. Mantenha a outra esticada. Inspire e expire por 15 segundos e troque de perna.

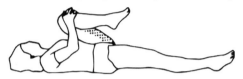

- Massageie a coluna – ainda deitado de costas, flexione os dois joelhos em direção ao peito. Abra os braços ao lado do corpo e deixe os joelhos caírem (juntos) devagar para um lado do corpo e depois, devagar, para o outro lado. Esse movimento é uma deliciosa massagem para toda a coluna e para os ombros.

- Estique os braços – sente-se na cama com a coluna ereta e flexione um braço atrás da cabeça. Encoste o cotovelo no topo da cabeça e empurre-o para baixo por 20 segundos. Repita com o outro braço.

- Movimente os pulsos – ainda sentado, estique um braço para a frente e puxe o dorso da mão (dedos apontando para cima), no sentido do antebraço. Repita com os dedos apontando para baixo). Faça o mesmo com o outro pulso.

- Relaxe o pescoço – ainda sentado, junte a sola dos pés em posição de borboleta. Puxe a cabeça como se quisesses encostar a orelha no ombro. Deixe o outro braço relaxado para baixo. Faça o mesmo com o lado oposto.

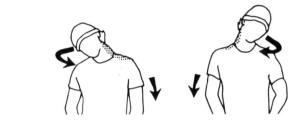

- Alongue a cintura – ainda deitado, abrace a cintura com apenas um braço e estenda o braço oposto por cima da cabeça, inclinando suavemente o corpo para a lateral oposta ao braço levantado. Mantenha a posição por 15 segundos. Repita com o outro lado.
- Faça caretas – abra bem os olhos e pisque três vezes. Ponha a língua para fora e estique-a. Invente caretas, dizendo "ahhhhh!".

Pescoço e ombros: série 1

Para relaxar toda a musculatura da nuca, do pescoço e dos ombros, você pode lançar mão de óleos de massagem que integram o efeito de relaxamento. Bons óleos essenciais são os de lavanda, ylang--ylang e os cítricos, como o de limão (tahiti ou siciliano), sempre diluídos em óleos vegetais (linhaça, girassol ou babaçu): para cada

60 ml de óleo vegetal prensado a frio, adicione cerca de dez gotas de cada um dos óleos essenciais citados. (Saiba mais sobre óleos e receitas de massagem na parte de Aromaterapia da Webgrafia, no fim deste livro.)

- Sente-se com a coluna ereta e, com as pontas dos polegares, faça uma pressão suave na linha ao longo da base da nuca (do centro para as laterais). Pressione a região por 3 segundos em cada ponto, relaxe e repita três vezes.
- Com os dedos indicadores e médios, faça movimentos circulares e lentos ao longo do pescoço, deslizando lentamente sempre da base da nuca para baixo até alcançar os ombros.
- Ainda sentado, com a coluna ereta, segure os ombros e faça movimentos firmes como se os estivesse amassando. A mão direita amassa a musculatura do ombro esquerdo e vice-versa. Massageie por 15 segundos, pare, faça o mesmo no lado oposto. Repita três vezes de cada lado. (Esse exercício funciona melhor ainda se for feito debaixo do chuveiro.)
- Com a ponta dos dedos, faça pressão da nuca até os ombros. Repita três vezes.

Pescoço e ombros: série 2

O giro da cabeça de 180 graus, também chamado de Coruja, trabalha o pescoço e o chakra laríngeo (da garganta), expandindo a comunicação e a amplitude da visão. A pessoa começa a escutar e enxergar muito melhor.

Segure com firmeza os músculos dos dois ombros e aperte (a mão esquerda segura o ombro esquerdo e a mão direita segura o ombro direito). Inspire e gire somente a cabeça, lentamente para o lado esquerdo, e continue girando, tentando enxergar o que está exatamente atrás de você (180 graus). Os ombros devem permanecer imóveis. Volte expirando para a posição original, ou seja, o movimento termina com os olhos voltados para a frente.

Repita o movimento, girando agora a cabeça 180 graus para a direita. Inspire quando girá-la para trás e expire quando retornar à posição inicial. Faça o giro completo (para a direita e para a esquerda) três vezes.

Ombros e quadris

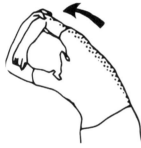

Segure por trás o braço esquerdo estendido (para cima e próximo ao ouvido) com o braço direito flexionado. Expire e flexione o tronco para o lado direito, alongando toda a musculatura das costas e lateral esquerda. Alongue por 30 segundos e relaxe.

Faça o mesmo exercício trocando a posição dos braços, flexionando o tronco para o lado esquerdo e alongando a musculatura das costas e lateral direita. Alongue por 30 segundos e relaxe.

Braços

Sente-se com a coluna ereta. Com a mão esquerda, enlace o punho da mão direita. Inicie com uma pressão suave em torno do punho.

Vá subindo, deslizando a mão ao longo de todo o braço até atingir o bíceps. Repita o movimento três vezes em cada braço.

Abdômen

Deite-se em uma superfície confortável, como uma cama ou um colchonete. Com a mão em concha, faça movimentos circulares suaves, porém vigorosos, no sentido horário, em todo o abdômen. Esse exercício também pode ser realizado de pé ou sentado no vaso sanitário. Faça por 2 minutos ou mais. É excelente para ser realizado de manhã, antes de nos levantarmos, a fim de ativar o funcionamento dos intestinos.

Rolamento e massagem da coluna

- Deitado sobre um colchonete, de costas, levante as pernas e dobre-as trazendo os joelhos até o peito. Abrace-as pela parte posterior dos joelhos e levante parcialmente o tronco e cabeça. Comece a fazer um movimento de gangorra com o corpo, de tal modo que a coluna seja massageada, vértebra por vértebra. Quanto mais lento for o balanço, mais eficiente será a massagem e o relaxamento de toda a coluna vertebral. Faça com que a amplitude do balanço vá da nuca até o glúteo. Realize esse exercício diariamente por 1 minuto ou mais.

- Ainda deitado, abrace os joelhos com mais força, ficando numa posição quase fetal. Enquanto os braços puxam as pernas para perto da cabeça, as pernas fazem um esforço contrário, tentando se afastar da cabeça. Repita três vezes.

Pernas

No estágio de estresse avançado, a pessoa tem dificuldade para colocar os pés no chão. Sente cãibra, ardência e fisgadas. Corre riscos de acidentes porque o nervo reflexo do tendão, que pertence ao sistema de alerta, está constantemente contraído. Assim, nesse nível de estresse há uma resistência contínua para o movimento e os reflexos são muito lentos.

- Sente-se no chão sobre um colchonete. Flexione uma das pernas para a frente e coloque-a sobre o joelho da outra perna. Na perna flexionada, faça movimentos deslizantes com as duas mãos, sempre no sentido dos joelhos para o calcanhar, ao longo de toda a perna. Repita isso várias vezes em cada perna. Nessa série, você pode e deve usar um óleo essencial diluído em óleo vegetal como o utilizado no relaxamento do pescoço e nuca descrito anteriormente.

- Amasse com as mãos os músculos da parte de trás da perna (as batatas da perna), sempre dos joelhos até o calcanhar. Repita esse exercício várias vezes em cada perna. Se você estiver com estresse avançado, essa região estará muito dolorida. Aproveite para observar qual das pernas apresenta maior rigidez e dor. Se for a perna esquerda, significa que o estresse vem do hemisfério direito (emocional). Se for a perna direita, o estresse vem do hemisfério esquerdo (racional).
- Com as pontas dos dedos, faça pressões suaves e circulares sobre o tendão do calcanhar. Essa é uma região muito dolorida e a manobra deve ser repetida até que a dor diminua.
- Aproveite para flexionar os tornozelos girando os pés para a direita, depois para a esquerda, então para cima e para baixo.
- Aproveite e faça uma massagem em todo o pé, dorso, sola e dedos.
- Esse conjunto de exercícios é ideal para ser realizado à noite, após um banho relaxante e antes de se deitar. E também, de maneira simplificada, pela manhã ao se levantar.

Flexão da perna

Este exercício o ajuda a ter mais motivação e mobilidade. Deve ser feito sempre que você se sentir bloqueado ou paralisado.

De frente para uma parede, afaste o corpo o mais que puder, inclinando o tronco para a frente, mas mantendo as pernas inicialmente juntas. Apoie as duas mãos espalmadas na parede. Inspire colocando a perna esquerda para a frente e flexionando esse joelho. Expire enquanto sente a parte posterior da perna direita (a que ficou para trás) alongando. Mantenha os calcanhares no chão e os pés perpendiculares à parede. Permaneça assim por 30 segundos.

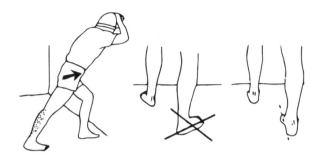

Ao terminar o alongamento da perna direita, troque a posição das pernas. Ou seja, a perna direita deve flexionar para a frente e a perna esquerda terá sua musculatura posterior alongada. Repita três vezes de cada lado. Quanto mais você dobrar o joelho dianteiro, maiores serão o alongamento e o alívio das tensões da perna que ficou para trás (em alongamento).

Relaxando a face e ativando os sentidos

- Com a ponta dos quatro dedos juntos (não usar os polegares), faça movimentos horizontais de deslizamento, do centro até a lateral de todo o rosto. Tome cuidado com os olhos. Esses movimentos têm efeitos drenantes e relaxantes.
- Com as mãos em concha, faça movimentos diagonais de deslizamento com as pontas dos dedos, partindo do queixo, levantando as bochechas, massageando o rosto e finalizando nas orelhas.
- Com a ponta dos polegares, pressione suavemente o ponto central das sobrancelhas. Faça a pressão por pelo menos 3 segundos, relaxe e repita três vezes.

- Com as pontas dos polegares, pressione agora o ponto final das sobrancelhas. Faça uma suave pressão por 3 segundos, relaxe e repita três vezes.
- Com as pontas dos dedos indicadores, pressione suavemente a área logo abaixo das narinas. Pressione por 3 segundos, relaxe e repita três vezes.
- Com as pontas dos dedos polegares, pressione o queixo (ao longo de todo o osso do maxilar inferior) de baixo para cima.
- Faça movimentos circulares nas têmporas por 3 segundos, relaxe e repita três vezes.
- Finalize os exercícios do rosto repetindo os movimentos deslizantes iniciais.

Toque no rosto

Toque o rosto. O contato das mãos com a pele é prazeroso e relaxa. Exercitar os músculos da face pode relaxar, mas também estimula o cérebro e rejuvenesce. Saiba que esse ritual deixa sua expressão mais natural e viva.

A milenar medicina chinesa observou que o rosto é uma região de inúmeros músculos, mas também por onde passam os meridianos (linhas por onde circula a energia vital e que ficam bem abaixo da pele), relacionados às vísceras. Ao serem estimulados, melhoram a circulação energética e do sangue, harmonizando órgãos e emoções, o que resulta em pele brilhante e expressão tranquila. Uma maneira de promover esse efeito é usar a ponta dos dedos para "dedilhar" a face. Faça movimentos ritmados, como se

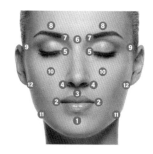

estivesse "digitando" vigorosamente no rosto. Esse tamborilamento tem resultados diversos: pela manhã, tonifica o rosto; ao meio-dia, relaxa a expressão; e às 18 horas, desintoxica a pele. Quem quiser caprichar na estimulação pode pressionar pontos específicos situados ao longo dos meridianos. Siga os números e repita cada toque nove vezes; inicie pela boca, prossiga pelo nariz e contorno dos olhos (de dentro para fora), desça pela face, percorra o maxilar, aproxime-se da orelha e termine na testa.

8. Mobilização energética

Este conjunto de exercícios da série de Meditação Divina de Cura possibilita o desbloqueio e a harmonização dos meridianos. Inspirar pelo nariz inflando os pulmões e o abdômen (respiração abdominal), expirar pela boca, permitindo o alongamento e a expansão do movimento. Repita três vezes cada um dos exercícios, enquanto mantém os joelhos levemente flexionados.

Inspirar: gire os braços e o tronco para a esquerda.

Expirar: gire os braços e o tronco para a direita. Inicie lentamente e vá aumentando a velocidade gradualmente. Após um tempo, eleve os braços acima da cabeça, sem interromper o movimento de rotação da coluna, e depois abaixe os braços, flexionando a cintura. Reduza a velocidade até parar.

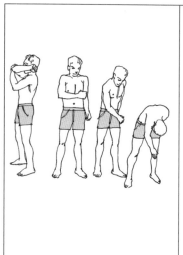	Palmas das mãos como ventosas, estimulando a circulação energética dos meridianos. Inicie o tapeamento no ombro direito e desça lentamente pelo lado interno do braço até a ponta dos dedos. Suba pelo lado externo do braço. Desça pelo peito e lado frontal da perna até o peito do pé. Suba pelo lado interno da perna. Repita trabalhando o lado esquerdo. Sacuda mãos e pulsos para relaxar. Reinicie no glúteo direito, desça lentamente pela parte de trás da perna e suba pela lateral. Repita trabalhando a perna esquerda.
	**Inspirar:** coloque as mãos fechadas nas costas (altura do quadril). **Inspirar:** incline a coluna para trás, colocando a língua para fora. **Inspirar:** volte à posição normal. **Expirar:** com os braços erguidos, baixe lentamente o tronco até encostar as mãos no chão.

Figura 7 – *Mobilização Energética.*

9. Exercício Divino dos Mestres

Este exercício da série Meditação Divina de Cura trabalha a capacidade de ir para a ação e sair da "fermentação mental", mobilizando a energia para todos os demais centros de inteligência.

Levei um bom tempo pesquisando sobre os motivos de o "Exercício Divino dos Mestres" ser tão poderoso, apesar de simples.

Bem, o fato de ser muito simples já é uma boa resposta. Mas, até onde consegui pesquisar, esse exercício promove:

- Intensa irrigação do chakra do coração e de todos os seus chakras secundários, localizados nos ombros, braços, mãos e dedos.
- Intensa lubrificação e mobilização dos chakras da ação (ou chakras do trabalho, segundo o radiestesista Manoel Mattos), localizados nos ombros, na articulação dos braços com o tronco. Essa mobilização tem como principal consequência a liberação da pessoa para as ações estreitamente sintonizadas com o coração. Assim, bloqueios para as ações de coragem e afeto são dissolvidos.
- A eliminação de procrastinações, adiamentos, medos, inseguranças e indecisões, além de problemas físicos relacionados ao coração, articulações, braços e mãos.

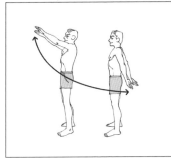

Inspirar: balance os braços lateralmente, para cima.

Expirar: balance os braços lateralmente para baixo (e levemente para trás).

Recomenda-se praticá-lo por 10 minutos pela manhã, ao ar livre ou de frente para uma janela aberta.

Figura 8 – *Exercício Divino dos Mestres.*

10. Exercícios de integração

O cérebro faz parte do corpo. O hemisfério esquerdo (HE) está relacionado ao mundo objetivo e racional. O hemisfério direito (HD) é responsável pela imaginação, sensibilidade e criatividade. Para ativar as múltiplas inteligências, é necessário criar ramificações (pontes) que integrem harmoniosamente esses dois hemisférios, bem como todas as demais partes do cérebro: reptiliano, límbico e neocórtex.

Hemisfério direito (HD)	Hemisfério esquerdo (HE)
Comanda o lado esquerdo do corpo	Comanda o lado direito do corpo
Não racional	Racional
Instintivo, analógico, intuitivo	Lógico
Sintético	Analítico
Não verbal	Verbal
Não temporal	Temporal
Vê o todo	Vê os detalhes
Espacial	Digital
Integra	Disseca
Abstrato	Concreto
Age por reflexo	Age por tentativa

Por exemplo, na leitura de um texto, às vezes perdemos a concentração e precisamos voltar e "reler". Isso acontece porque as palavras são decodificadas pelo HE e as imagens representadas pelas palavras são decodificadas pelo HD. Logo, o entendimento do texto só acontece quando cada palavra está ligada a uma imagem. Porém, se o leitor estiver pensando em outra coisa (no futebol ou em alguma culpa, por exemplo), ele não será capaz de associar a palavra à figura. A maioria das pessoas (acima de 70%) é homolateral, ou seja, usa predominantemente apenas um dos hemisférios. Nesse caso, toda a inteligência plural e a ação, a capacidade de aprendizado e desenvolvimento da autoestima, ficam prejudicados.

A homolateralidade sinaliza estagnação e compartimentalização. Cria-se um bloqueio e a pessoa afirma: "Não tem jeito, eu não sei dançar" ou "Não gosto de matemática e ponto final". É a lei da inércia.

Engatinhar e saltar cruzado

A consciência do movimento e do corpo gera a motivação. A motivação gera o pensamento positivo para realizar a ação. Os dois exercícios a seguir são os mais importantes dentre todos os exercícios de integração dos hemisférios. A ideia é cruzar os membros (braços e pernas) como se estivesse ligando as pontas dos circuitos da nossa bilateralidade. Você vai perceber no início de cada série que existe uma dificuldade para coordenar os movimentos cruzados. Mas este é o propósito e o benefício: trabalhar a bilateralidade.

1. Agache-se no chão apoiando-se nos joelhos e nas mãos espalmadas. Engatinhe, lentamente, por uns 5 minutos ou mais, procurando reconhecer toda a sua fisicalidade, todos os seus apoios. No primeiro passo, a mão direita adianta-se com o joelho esquerdo. Depois a mão esquerda avança com o joelho direito. Bem, parece que todo mundo sabe engatinhar, mas não é bem assim.

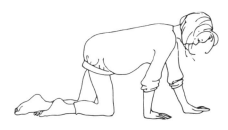

2. Faça o salto cruzado com uma música alegre de fundo, pois a ludicidade tornará esse exercício mais agradável e divertido. Chame as crianças para fazerem junto. Como na figura, coordene os movimentos de modo que o braço e a perna oposta movimentem-se ao mesmo tempo.

Faça os movimentos para a frente, para os lados e para trás, além de mover os olhos em todas as direções. Leve a mão ao joelho oposto (toque-o), cruzando a linha divisória como se estivesse desenhando um X.

Quando os hemisférios cerebrais são estimulados dessa maneira (movimento de cruzamento na frente), sua mente fica totalmente aberta para apreender novas informações.

Os movimentos cruzados levando braços e pernas para trás ativam a intuição, o raciocínio matemático abstrato e a visão espacial.

Quando realizado com pulos, eles trabalham a verticalidade, a abstração, a capacidade de organização e o planejamento.

Movimentos cruzados deitado

Faça este exercício deitado numa superfície confortável (colchonete ou cama). É ideal para ser praticado antes de sair da cama, da prática esportiva ou de uma atividade desafiadora.

Simule que está andando de bicicleta, enquanto toca o seu cotovelo no joelho da perna oposta. Sua mente e seu corpo vão ficar alertas!

Este exercício também propicia uma massagem poderosa em toda a coluna e músculos dorsais.

11. Exercícios energéticos

Estes exercícios provocam uma aceleração no raciocínio e na captação de informações.

Botões cerebrais

Ideal antes de ler ou de usar a visão. Enquanto você apoia uma das mãos no umbigo, a outra mão está sobre o peito (esterno) e esfrega esses pontos com movimentos firmes e circulares para a direita e para a esquerda. Ao mesmo tempo, imagine que a ponta do seu nariz é um lápis e pinte vários "8" no teto. Repita, trocando as mãos e o sentido do "8".

Botões do equilíbrio

Faça os botões do equilíbrio para manter o seu corpo relaxado e a sua mente atenta. Quando estiver trabalhando com o computador, por exemplo, coloque dois dedos na reentrância do lado esquerdo da base do crânio (atrás da orelha). Descanse a outra mão sobre o umbigo. Respire, puxando a energia para cima. Após 1 minuto, troque de mãos, tocando na reentrância da base do crânio do lado direito.

Botões espaciais

Faça estes toques para desanuviar a cabeça e tomar decisões importantes, tanto pessoais como profissionais. Coloque dois dedos acima do lábio superior, e descanse a outra mão no osso sacro. Aguarde 1 minuto respirando e fazendo a energia subir pela espinha. Repita trocando as mãos.

Botões terra

Faça este exercício para melhorar o raciocínio lógico e matemático. Mantenha a ponta dos dedos indicador e médio logo abaixo do lábio inferior (queixo), enquanto a outra mão pressiona a extremidade superior do osso púbico. Respire elevando a energia para o coração. Repita trocando as mãos.

Bocejo energético

Faça estes toques para relaxar as suas cordas vocais. Tente ao máximo bocejar, pois não existe exercício melhor para relaxar e liberar as tensões da face. Coloque as pontas dos dedos nos pontos tensos que você sente no maxilar superior. Faça vários bocejos, longos e relaxados, liberando pouco a pouco a tensão do rosto.

Botão da audição

Faça o aquecimento dos quatrocentos terminais nervosos da audição massageando suavemente toda a borda das suas orelhas. Comece o movimento de cima para baixo, durante 1 minuto ou mais. Isso vai aquecer suas orelhas e ajudá-lo a escutar muito melhor, auxiliando no aprendizado de línguas e na memória musical e auditiva.

12. Exercícios de meditação

Existe uma infinidade de técnicas de meditação para o praticante que deseja resgatar seu estado meditativo, seu poder de observar seus pensamentos e agir com consciência do estar presente, em estado de alerta.

Como o objetivo deste livro não é falar sobre meditação, mas indicar a meditação como uma excelente prática para a conquista de uma mente limpa, clara, lúcida e relaxada, proponho algumas sugestões, para que cada um encontre a técnica que mais lhe dá prazer e resultados.

Nós, ocidentais, temos problemas com as técnicas budistas, em que a imobilidade do corpo causa mais inquietações do que paz. Por esse motivo, considero interessantes os exercícios em que o praticante tem a oportunidade de primeiramente liberar o excesso de energia ou estresse do corpo, para depois buscar um espaço de quietude mental e corporal. Bons exemplos seriam o yoga, o tai chi chuan e o lian gong, práticas que integram a atividade física com o relaxamento muscular e a respiração, sempre num espaço de silêncio e meditação.

Considero muito adequadas as meditações ativas do Osho; algumas delas são ótimas para alcançar o estado alterado de consciência e elevar a capacidade do silêncio e de quietude da mente. As técnicas ativas do Osho que mais aprecio são a kundalini, a meditação do coração, a chakra *sounds*, a nataraj e a nadabhrama. Sinto-me muito bem ao praticar meditações com o canto de mantras. Existem mantras muito especiais para nos conectar com vibrações de muita leveza e paz, cura e gratidão. No meu site www.docelimao.com.br, você poderá saber um pouco mais sobre as diferentes técnicas de meditação e locais de prática.

A meditação que proponho aqui é uma técnica de concentração e respiração baseada em estímulos visuais, e que direciona toda a atenção para uma imagem universal: a mandala.

Meditando com mandalas

Ao observarmos uma mandala, é inevitável a atração para o seu centro, e nesse ponto central, o tempo e o espaço cessam de existir.

– Rüdiger Dahlke

Mandalas são imagens circulares usadas há milênios pelos povos orientais para expressar, por meio de um desenho, a experiência humana de contato com a energia divina. Nas mandalas, estão expressas as relações entre o Homem e o Cosmos, entre a busca de conquistas materiais e a energia espiritual que está por trás delas. Em outras palavras, as mandalas são um caminho para o autoconhecimento em estado de sintonia com Deus.

A palavra mandala vem do sânscrito e significa "círculo mágico". Entre os povos orientais, atribui-se às mandalas a característica de representar graficamente o ritmo, o movimento e a harmonia que regem todo o universo, a natureza e o próprio ser humano.

Para os hindus, a mandala é a reprodução da mente humana quando equilibrada. Por essa razão, meditar corretamente, olhando para uma mandala, pode reordenar os processos mentais, trazendo paz e soluções para conflitos sobre os quais nem mesmo conseguimos ter consciência. Ou seja, mesmo que você não saiba exatamente o que causa uma determinada perturbação em sua vida, a meditação com uma mandala pode colaborar para a solução do problema. Veja a seguir como meditar com mandalas.

- Escolha a sua mandala – aquela que mais o fascina – e observe-a bem, pensando naquilo que você está buscando. Foco?

Concentração? Criatividade? Abundância? Fertilidade? Saúde? Amor? Serenidade? (Consulte na Webgrafia um site de mandalas.)

- Procure se sentar numa posição confortável com a coluna ereta, colocando a mandala diante do seu rosto, pendurada na parede. O centro da mandala deverá estar na altura dos seus olhos, à distância de um braço (60 a 80 cm).

- Focalize toda a sua atenção no centro da mandala. Não exerça tensão sobre os olhos, que deverão permanecer repousados no centro da mandala durante todo o exercício.

- Procure aos poucos esvaziar a mente, deixando a mandala agir em você por meio do movimento que lhe é inerente. A ideia é preencher toda a sua mente com a imagem da mandala. Ela será reconstruída dentro de você.

- Não queira controlar seus movimentos. Respire profunda e lentamente permanecendo todo o tempo relaxado. Seus olhos poderão ficar pesados, lacrimejar ou arder. Permita que isso aconteça, mas não julgue. Deixe a mandala limpar, desobstruir e energizar seus olhos físicos e seus componentes etéricos. Fixe sempre o olhar no centro do desenho. Perceba os detalhes captados pela visão periférica, sinta sua vibração, mas não se desligue do centro.

- Procure piscar o mínimo possível, e quando o fizer, que seja suavemente e com total atenção. Não faça nenhum tipo de avaliação ou juízo crítico. Não deixe a sua mente interferir no processo. Apenas observe o que está acontecendo dentro e fora de você.

- Perceba que, quando sua mente se aquieta, você dispersa menos energia com o pensamento e, como não existe vácuo no universo, outra função assume essa energia. É nessa hora que funcionam a intuição, o autoconhecimento, a clarividência e a clariaudiência. Começam a emergir interiormente potenciais normalmente submersos do seu ser.

- Mergulhe na mandala por 15 minutos. É opcional o uso de música ou qualquer outro estímulo auditivo. Durante todo o exercício é vital a atenção na respiração, que poderá ter variantes de acordo com o que se deseja atingir.
- Quanto mais imóvel você conseguir ficar, mais a mandala penetrará em você, harmonizando seu campo de energia e os chakras.
- No fim dos 15 minutos, feche os olhos, aqueça as mãos, esfregando uma na outra, e as coloque sobre eles, relaxando-os.
- Não se deite logo em seguida. Permaneça por mais 15 minutos sentado, observando o que está acontecendo internamente com você. Essa observação é o objetivo de toda e qualquer técnica meditativa. Fique em silêncio, de olhos fechados e coluna ereta.
- Após esse período, se quiser, deite-se.
- Essa meditação não deve ser feita antes de dormir ou logo após as refeições.
- Depois de um período de prática de 21 dias, troque de mandala.

Figura 9 – *Mandala*.

Outra forma de meditar com mandalas é colori-las com lápis de cor ou tinta. Confira as sugestões na nossa Webgrafia.

13. Proposta de prática diária dos exercícios

Chegamos ao fim desta série de sugestões para você exercitar o corpo, o cérebro e a alma (divertindo-se). Pode ser que você esteja pensando: Quantos exercícios! Como vou praticar tudo isso? Não tenho tempo!

Em primeiro lugar, é necessário que você sinta que merece isso e se dê esse direito. De quanto tempo você precisa para cuidar de sua saúde, ter qualidade de vida e buscar seu bem-estar? A minha proposta é a seguinte:

- Faça uma programação de exercícios matinais diários, que dure de 10 a 15 minutos no mínimo.

- Faça uma lista por escrito – uma série em que você vai focar a cada semana.
- Não se esqueça de iniciar seu dia com água ou com os sucos desintoxicantes. Depois vêm a respiração, o positivismo, muito riso, a integração, o relaxamento e a turbinagem!
- Mude a seleção a cada semana para não robotizar o movimento.
- Durante o dia, tome de 50 a 200 ml de um líquido (água, chá ou suco desintoxicante) a cada hora e lembre-se de respirar melhor, relaxando e usando a criatividade em situações nas quais seja necessário resgatar a energia, a lucidez e a paz.

≈ Anexo I ≈

Testes

1. Teste seu nível de estresse

 Este teste foi desenvolvido pelo Centro Psicológico de Controle do Estresse, em São Paulo, e, segundo seus pesquisadores, apresenta basicamente três níveis: passageiro, intermediário e agudo.

Assinale os sintomas que sentiu nos últimos três meses e localize o seu nível de estresse. Para qualquer nível, é fundamental providenciar uma atividade física adequada, uma alimentação mais vitalizante e balanceada e a prática dos exercícios cerebrais.

Nível 1: Passageiro – Afeta a produtividade com pontos de bloqueio principalmente no pescoço e na nuca. Fundamental praticar exercícios de alongamento e relaxamento.

- Dificuldade para expressar os seus sentimentos e ansiedades
- Mãos ou pés frios, transpiração excessiva
- Boca seca
- Dor de estômago

- Músculos do pescoço e nuca tensos e enrijecidos
- Insônia
- Crise de hipertensão
- Taquicardia
- Bruxismo

Nível 2: Intermediário – Afeta o sistema imunológico com pontos de bloqueio nas costas e nos quadris. Fundamental colocar limites e não carregar o mundo nas costas.

- Aceitação de prazos não realistas
- Dores nas costas e ombros pesados
- Esquecimento de coisas corriqueiras
- Pesadelos
- Dificuldades para tomar decisões
- Desejo repetitivo de mudar-se para uma ilha deserta
- Problemas de pele ou resfriados constantes
- Tique nervoso
- Dificuldade para se desligar dos problemas

Nível 3: Agudo – Risco de acidentes pelo sistema reflexo retardado; pontos de bloqueio nas pernas, nos joelhos, no calcanhar e na batata das pernas. Fundamental movimentar a vida e aprender a lidar com a força das próprias pernas.

- Sentimento de raiva por períodos longos ou motivos tolos
- Sensação de incapacidade para o trabalho
- Perda de apetite por vários dias
- Depressão ou apatia
- Desenvolvimento de alguma doença

- Irritação diante de coisas banais (o sinal que não abre, o elevador que não chega)
- Mau humor crônico
- Episódio de ansiedade
- Perda do desejo sexual por um período longo

Sintomas de estresse

Por meio deste pequeno questionário você terá a oportunidade de se autoavaliar, refletindo sobre cada um dos oito aspectos abordados. A reflexão será importante, pois as respostas precisam ser sinceras, para que surja a vontade de transformar o estresse em estímulo para cuidar de si mesmo e respeitar seus limites.

As respostas devem ser positivas ou negativas, não há meio-termo. No final, será contado o número de respostas positivas, para avaliar em que nível de estresse você se encontra.

1. Você é agressivo e competitivo em tudo o que faz?
2. Acha difícil relacionar-se com os outros?
3. Tem dificuldade para expressar os seus sentimentos e ansiedades?
4. Frequentemente assume ou aceita prazos não realistas?
5. Repassa mentalmente muitas vezes os fatos diários e se preocupa com eles?
6. Sua vida mudou muito nos últimos seis meses?
7. Você tem pouca ambição e sempre depende do estímulo de outras pessoas para agir?
8. Vive exclusivamente para o trabalho sem atividades ou interesses fora dele?

Conte quantas vezes você respondeu "sim" às perguntas.

0 a 2 – Neurônios em dia. Estresse num nível saudável.

3 – Baixo nível de estresse. Atenção. Estado de alerta.

4 – Médio nível de estresse. Cuidado e atenção. É hora de começar a fazer algo para minimizar o estresse. Relaxar, se divertir, rir bastante!

5 a 8 – Elevado nível de estresse. Férias urgentes. Exercícios físicos e cerebrais se tornam prioritários. Risco de acidentes.

2. Teste sua eficiência cerebral

A proposta deste teste é ajudá-lo a perceber quão urgente é a necessidade da prática dos exercícios cerebrais na sua vida. O nível de necessidade abrange desde uma mera prevenção, o que é muito recomendável, até um resgate urgente da sua eficiência e agilidade mental.

Prático e objetivo, o teste pretende dar uma ideia do quanto os recursos cerebrais básicos estão comprometidos, seja pelo estresse, pela má alimentação, pela respiração inadequada, pela falta de atividade física ou qualquer outro fator.

Leia cada uma das quarenta situações do cotidiano e assinale aquelas que se aplicam a você. Quanto mais honestas suas respostas, mais real será a "fotografia" de sua eficiência cerebral.

Registre sua pontuação (0 a 40 pontos) para que, daqui a um mês, após o período de prática dos exercícios cerebrais, você possa verificar seus avanços.

1. Quando quero estacionar o carro, levo tanto tempo escolhendo entre uma vaga ou outra que muitas vezes acabo perdendo as duas.

2. Costumo sair e esquecer a luz acesa ou a janela aberta.

3. Quando compro um aparelho novo, vou mexendo para saber como funciona e só em último caso leio o folheto de instruções, que, aliás, sempre me parece mal redigido.

4. No supermercado, quando mudam os artigos de lugar ou, pior ainda, quando mudam as prateleiras das seções, fico perdido(a). Até me habituar à nova disposição, costumo me atrapalhar bastante nos corredores.

5. Sempre esqueço onde deixei os objetos que mais uso, como chaves, óculos, carteira, isqueiro ou fósforos, caderneta de endereços etc.

6. Quando preciso usar minhas mãos, sou desajeitado(a), seja para pregar um quadro na parede, abrir uma lata de conservas ou fazer um conserto.

7. É incrível como as crianças que ficam brincando perto de mim logo me aborrecem! Por mais que eu goste delas, me complicam a vida.

8. Na televisão, conheço muito bem os apresentadores e, no entanto, faço confusão com seus nomes.

9. Durante os primeiros meses do ano, várias vezes eu dato os cheques (e outras anotações) com o ano anterior.

10. Nos testes de conhecimentos gerais da TV ou do rádio, quase sempre sei a resposta certa, mas demoro muito para dizer e perco sempre.

11. Não ligo para a minha aparência física. A elegância me parece uma coisa supérflua.

12. Não consigo saber de cor a senha do meu cartão de crédito.

13. Acho que não valeria mais a pena viver se eu tivesse uma doença grave ou se um acidente me privasse de uma das mãos ou me deixasse cego.

14. A ideia de ir para um país onde tivesse de lidar com uma língua estrangeira me dá angústia.
15. Sei uma porção de anedotas na ponta da língua, mas, quando vou contá-las, esqueço uma parte importante, troco as falas, estrago o final... enfim, sou um fracasso!
16. Tenho certeza de que não vou viver muitos anos.
17. Quando ligo a TV, fico mudando de canal porque não tenho paciência de ver um programa até o fim.
18. Quando vou fazer compras, para não esquecer nada, faço uma lista. Se perder a lista, fico sem saber o que fazer.
19. Mesmo que tenha um mapa do endereço aonde vou, quando chego lá não consigo encontrar as ruas, fico desorientado(a), e sou obrigado(a) a pedir informações à primeira pessoa que passa.
20. Se discuto música, moda ou política com meus filhos ou netos, logo entro em choque com eles.
21. Ao entrar no aeroporto, em vez de consultar os painéis eletrônicos com as indicações dos voos, costumo pedir a alguém a informação de que preciso.
22. Quase sempre esqueço alguma coisa no fogo ou no forno.
23. Quando olho as fotos tiradas nas férias, costumo confundir as cidades, os monumentos, as datas em que foram registradas.
24. Se eu herdasse uma fortuna, logo pensaria em destiná-la a uma criança, a uma associação de caridade ou a uma organização humanitária, sem pensar em mim mesmo(a).
25. Sempre me atrapalho ao calcular um troco.
26. Quando mudo de carro, levo muito tempo até me habituar ao manejo do novo veículo.
27. Detesto que mudem minhas coisas de lugar!

28. Não me lembro de um artigo de jornal, mesmo que o tenha lido há pouco tempo.

29. Muitas vezes, quando o semáforo fica verde, ouço os carros que estão atrás de mim buzinando furiosos porque, pelo jeito, demoro para dar a partida.

30. Se tocarem a campainha enquanto estou fazendo alguma coisa que exige atenção ou delicadeza, fico meio desnorteado(a) e levo um certo tempo até me decidir a parar o trabalho e ir abrir a porta.

31. Sem querer, adoço várias vezes o suco ou ponho sal demais na comida.

32. Eu me atrapalho com nomes novos, sobretudo os de pessoas, e os pronuncio de modo errado, trocando uma letra ou sílabas. Aí, quando quero pronunciar certo, fica difícil.

33. Quando a telefonista me dá um número que eu quero chamar, preciso anotar imediatamente, senão esqueço, mesmo que vá ligar nos próximos segundos.

34. Se percebo que está me faltando dinheiro na carteira, a primeira ideia que me vem à cabeça é que alguém me roubou.

35. Às vezes cumprimento alguém na rua que me olha espantado; percebo então que me enganei.

36. Quando não durmo na minha cama, tenho dificuldade para pegar no sono e chego a passar a noite em claro.

37. Ao usar o caixa eletrônico no banco, sempre me atrapalho.

38. Sempre faço confusão entre duas cidades, dois times esportivos ou dois acontecimentos em particular.

39. Só o meu meio profissional, atual ou passado, me interessa de fato. O resto me é bem indiferente.

40. Se um dos comerciantes dos quais sou freguês(esa) fecha sua loja, fico bastante atrapalhado(a) e levo muito tempo até conseguir escolher outro fornecedor.

Fonte: INRPVC (Institut National sur la Prévention du Vieillissement Cérébral), Hospital Bicêtre, Paris.

✆ Anexo II ✆
Matérias de Jornais e Revistas

1. A revolução do cérebro

Fonte: Revista *Superinteressante*,, Editora Abril –
agosto 2006, número 229 – Rafael Kenski

Está aí a revolução: segundo os cientistas, o seu cérebro é muito elástico. Há menos de vinte anos, imaginava-se que ele fosse como um computador, uma máquina com circuitos fixos, em que tudo o que se podia fazer era acrescentar informações. Agora se sabe que não. "O *hardware* também é aprendido. Caminhar, falar, mover partes do corpo, tudo isso envolve experiência e memória", diz Ivan Izquierdo, neurocientista da PUC (RS). O cérebro se reinventa, cria novos neurônios, novas conexões e novas funções para áreas pouco utilizadas.

Não é de espantar que os cientistas tenham demorado a perceber isso. Até três décadas atrás, tudo o que se podia fazer para estudar o cérebro humano era abrir a cabeça e olhar dentro. Alguns chegaram a fazer isso com pacientes vivos, mas o normal era esperar as pessoas morrerem e depois estudá-las durante as autópsias. Na época, as principais descobertas vinham de pesquisas com animais ou com pessoas com lesões no cérebro – por exemplo, se alguém perdia o hipocampo e, com ele, a memória recente, deduzia-se que os dois estavam ligados.

Agora, os cientistas conseguem desde entender como os genes dão origem às moléculas do cérebro até simular em computador conjuntos de neurônios. E surgiram maneiras de observar o cérebro em atividade, graças, principalmente, à ressonância magnética funcional (RMF), uma espécie de telescópio Hubble para os neurocientistas, que possibilita detectar, por ondas de rádio, o fluxo de sangue oxigenado para diferentes partes do cérebro, o que indica as regiões mais ativas em cada situação.

A técnica permitiu, pela primeira vez, mapear o cérebro em funcionamento. Também enterrou aquela ideia de que só usamos 10% da capacidade desse órgão: todo o cérebro trabalha o tempo inteiro. Mas, de acordo com o que fazemos, algumas partes são mais ativadas que outras. Nos últimos anos, as pesquisas mostraram os sistemas que são ativados em situações como se apaixonar, tomar uma decisão, sentir sono, medo, desejo por uma comida ou até *schadenfreude,* palavra alemã para se referir ao prazer de ver alguém se dando mal (que, se percebeu, é mais intenso em homens). "Estamos decifrando a linguagem com que as áreas do cérebro conversam. É possível que os sistemas que conseguimos ver sejam como um arquipélago: parecem ilhas isoladas, mas, por baixo, são parte de uma mesma montanha", diz o radiologista do Hospital das Clínicas, Edson Amaro, membro do projeto internacional Mapeamento do Cérebro Humano.

O que complica as pesquisas é que, assim como não existe uma pessoa igual à outra, cada cérebro é diferente. Além disso, a aparência dos neurônios não é um indicador fiel do que acontece na mente. "Existe quem morra com problemas de memória e, na autópsia, se percebe que o cérebro estava perfeito. E também os que não apresentaram problemas até o fim da vida, mas têm um cérebro danificado", diz Lea Grinberg, uma das coordenadoras do banco de cérebros da Universidade de São Paulo (USP), que reúne e tenta comparar 3.600 amostras para resolver problemas como esse. Mesmo ainda misterioso, é provável que seja esse o ponto em que o modo como você utiliza o cérebro faça a diferença.

"Ele é como um músculo: se você o exercita, está mais protegido contra problemas", diz Lea. Em caso de danos ao cérebro – seja causado por doenças como Alzheimer ou por pancadas na cabeça –, pessoas com bom nível educacional ou QI alto sofrem perdas menores de capacidade cerebral. Ao que tudo indica, exercitar o cérebro cria uma espécie de proteção a danos. É possível que, quando necessário, os atletas mentais consigam mobilizar outras áreas do cérebro mais facilmente, ou talvez compensem a perda por usarem cada área de maneira mais eficiente.

Aliás, uma boa notícia: só o fato de você estar lendo este texto já é um começo. "A leitura é um exercício fantástico. Quem não lê está fadado a ter uma memória menos eficiente", diz Izquierdo. Enfrentar desafios e sair da frente da TV também ajuda, assim como evitar uma vida sedentária e praticar exercícios físicos. Eles não só permitem que o seu cérebro funcione melhor como, provavelmente, estimulam o nascimento de novos neurônios.

Depressão não é tristeza?

A teoria tradicional diz que a depressão é uma deficiência de serotonina – um neurotransmissor relacionado a funções como o humor, o sono e o apetite – e, para combatê-la, tudo o que os antidepressivos fazem é aumentar a quantidade dessa substância no cérebro. Mas duas questões nessa teoria intrigam os cientistas. A primeira é que, pouco depois de tomar esses remédios, o cérebro já está cheio de serotonina e, no entanto, nada acontece. O segundo é que os efeitos esperados só vão aparecer um mês depois. Um mês é exatamente o tempo que o cérebro leva para produzir novos neurônios e fazê-los funcionar. Foi daí que se suspeitou que existe uma relação entre a depressão e a queda na produção de novas células no cérebro. Outros indícios reforçaram a hipótese: o estresse – um dos principais fatores que desencadeiam a depressão – também inibe a neurogênese, como se o cérebro estivesse mais preocupado em sobreviver ao fator estressante que em produzir neurônios para o futuro. Mas a primeira evidência concreta veio em 2000, quando cientistas americanos mostraram que os principais tratamentos antidepressivos aumentam a neurogênese em ratos adultos. No ano seguinte, percebeu-se também que bloquear o nascimento de neurônios em ratos tornava ineficazes os antidepressivos. Agora, a esperança é encontrar uma forma de estimular a neurogênese e, com isso, aliviar a depressão. Pelo que indicam esses estudos, essa doença pode não ser só um estado de tristeza, mas sim o efeito da falta de neurônios novos e da consequente perda da habilidade para se adaptar às mudanças e desafios da vida.

2. Exercício pode estimular a reprodução de neurônios

Fonte: *Jornal do Comércio* – Recife –11/07/1999

Embora ainda não haja comprovação científica em seres humanos, faz sentido dizer que uma pessoa pode ficar mais inteligente se praticar exercícios físicos.

Essa afirmação do dr. Luís Eugênio Mello, professor de neurofisiologia da Universidade Federal de São Paulo, está baseada em uma experiência feita em camundongos, que aponta a atividade física como um dos fatores que estimulam o nascimento de neurônios (neurogênese) no hipocampo, região do cérebro responsável pela memória e aprendizagem, entre outras funções. Esse trabalho foi publicado em março de 1999, na revista britânica *Nature Neuroscience*.

Para colaborar ainda mais com a rotina dos intelectuais, o estudo aponta outro fator que também pode estimular a inteligência: o exercício mental, como, por exemplo, aprender coisas novas.

Cientistas do Instituto Salk de Estudos Biológicos, na Califórnia, submeteram cobaias a exercícios físicos, como correr dentro de uma roda e nadar. Outros ratinhos foram postos para executar tarefas de aprendizado. Foi constatado que o número de neurônios mais que dobrou nos animais.

O dr. Mello lembra que o dogma de que os seres humanos nascem com um número determinado de neurônios, que vão morrendo ao longo da vida sem conseguir se reproduzir, está ultrapassado. Primeiro descobriu-se que o hipocampo de ratos adultos era capaz de produzir neurônios. Atualmente, já se sabe que o mesmo ocorre em humanos.

"Assim como os exercícios podem estimular e introduzir o nascimento e a reprodução dos neurônios, o estresse pode fazer com que eles morram ou deixem de nascer. Então, para uma vida cerebral saudável, o importante é cuidar da parte física em conjunto com a psíquica. Isso significa não só realizar atividades físicas", afirma Mello.

Como fatores redutores de estresse, o neurofisiologista aconselha ainda manter uma alimentação balanceada, um tempo de sono adequado e algumas horas dedicadas ao lazer.

3. O segredo para um cérebro mais jovem pode estar no exercício físico

Fonte: Dr. Hideki Soja, da Universidade de Tsukuba – 23 de outubro de 2015

"Mens sana in corpore sano"

É amplamente reconhecido que a nossa capacidade física é refletida em nossa habilidade mental, especialmente à medida que envelhecemos. Mas como o bem-estar físico afeta nosso cérebro? Estudos de neuroimagens que mostram a atividade de diferentes partes do cérebro forneceram algumas pistas. Até agora nenhum estudo tinha relacionado diretamente o desempenho físico com a atividade cerebral.

Conforme relatado em uma das mais recentes edições da revista *Neuro Image*, um novo e revelador estudo liderado pelo dr. Hideaki Soja, da Universidade de Tsukuba, no Japão, mostra, pela primeira vez, a relação direta entre a capacidade física e a função cerebral. Participaram do estudo um grupo de homens adultos, digamos, japoneses "maduros".

Foi descoberto que os homens com melhores condições físicas têm um desempenho mental melhor do que os homens fisicamente mais fracos, porque os primeiros utilizam áreas do cérebro do mesmo modo que o faziam na juventude.

À medida que envelhecemos, usamos diferentes partes do nosso cérebro. Quando jovens utilizamos principalmente o lado esquerdo do nosso córtex pré-frontal (CPF) para tarefas mentais que envolvem a memória de curto prazo, a compreensão do significado das palavras e a capacidade de reconhecer eventos prévios, objetos ou pessoas.

Na idade adulta, temos a tendência de usar as áreas equivalentes do lado direito de nosso CPF para essas tarefas. O CPF está localizado na parte frontal do cérebro, logo atrás da testa. Ele desempenha tarefas na função executiva, memória, inteligência, linguagem e visão.

Os adultos jovens favorecem o uso do lado direito do CPF para tarefas que envolvam o armazenamento e a manipulação da memória, a memória de longo prazo e o controle inibitório temporário, enquanto os adultos maduros utilizam tanto o lado direito como o esquerdo do CPF.

Na verdade, com o passar dos anos, tendemos a usar os dois lados do CPF para realizar tarefas mentais, em vez de apenas um. Esse fenômeno tem sido denominado pela sigla em inglês HAROLD (em português, significa redução da assimetria hemisférica em adultos maduros), e reflete a reorganização do cérebro como compensação da capacidade e eficiência cerebral reduzidas devido ao declínio estrutural e fisiológico relacionado com a idade.

No estudo da *Neuro Image*, 60 homens com idade entre 64 e 75 anos foram submetidos a um teste de exercícios para medir sua capacidade física aeróbica. Os grupos de homens que apresentaram grande variabilidade física realizaram um teste para medir a atenção seletiva, a função executiva e o tempo de reação.

No teste de Stroop, conhecido como "palavra e cor correspondentes", o sujeito avaliado deve indicar a cor das letras da palavra (como azul, verde ou vermelha), em vez de ler a palavra em si. Isso é mais difícil do que parece.

Olhe abaixo e diga em voz alta as CORES, não as palavras:

AMARELO AZUL LARANJA
PRETO VERMELHO VERDE
ROXO AMARELO VERMELHO
LARANJA VERDE PRETO
AZUL VERMELHO ROXO
VERDE AZUL LARANJA

Quando a cor das letras da palavra não coincide com a palavra – azul, vermelho ou verde –, o cérebro leva mais tempo para reagir. Esse tempo de reação é interpretado como uma medida da função cerebral.

A atividade na região do CPF do cérebro dos participantes foi medida usando uma técnica de neuroimagem única chamada "espectroscopia no infravermelho próximo funcional" ou FNIRS.

Essa técnica fornece uma medida da concentração de oxigênio no sangue que circula nos vasos sanguíneos superficiais, indicativos de atividade nas camadas exteriores do cérebro. Para isso, utilizou--se um conjunto de sensores portáteis distribuídos sobre a cabeça.

As células cerebrais ativas necessitam de sangue oxigenado fresco, o que provoca o deslocamento do sangue de uma região para outra. A técnica do FNIRS mede as mudanças na cor entre o vermelho do sangue oxigenado e o azul do sangue não oxigenado, e assim é medida indiretamente a atividade do cérebro.

Os resultados dos testes foram combinados e analisados estatisticamente de modo extensivo para explorar as associações entre a capacidade aeróbica, o tempo de reação e a atividade cerebral durante o teste Stroop.

Como previsto, para os adultos mais velhos, o teste Stroop mostrou atividade em ambos os lados do CPF, sem qualquer diferença entre direita e esquerda, verificando-se o fenômeno HAROLD para esse grupo de pessoas. Estudos anteriores tinham demonstrado que os adultos jovens tendem a favorecer o lado esquerdo do CPF para essa tarefa.

 A análise da relação entre a atividade cerebral e o tempo de reação revelou que os sujeitos que favoreceram o lado esquerdo do CPF durante a realização do teste têm tempos de reação mais rápidos. Isso indica que os adultos maduros que usam mais o lado esquerdo do cérebro (relacionado com a juventude) conseguem melhores resultados no teste.

Em seguida, foi analisada a associação entre o condicionamento aeróbico e o tempo de reação. O resultado mostrou que os indivíduos com melhores condições físicas apresentaram tempos de reação mais curtos.

4. Malhar para recordar

Fonte: Revista *Saúde é Vital* – Editora Abril – julho de 2007 – Thais Szegö

Os bons efeitos dos exercícios físicos, sobretudo os aeróbicos, vão muito além de um corpo firme e forte. Pesquisas comprovam que eles estimulam a memória.

Uma observação interessante dos cientistas: quanto mais lúdico o exercício, melhor o efeito para a memória. Ou seja, você precisa gostar da modalidade.

A suspeita de que a prática de exercícios tem grande influência sobre o cérebro vem de longa data. Não é novidade, por exemplo, que eles favorecem o bombeamento de sangue, o que significa mais oxigênio para as células da massa cinzenta. Recentemente, porém, exames de ressonância magnética forneceram provas irrefutáveis de que seus efeitos extrapolam o incremento na circulação. Há uma mudança em certas estruturas e até mesmo o aumento do volume do cérebro. "Caiu por terra a crença de que, uma vez formado, ele só sofreria alterações físicas em casos de doença. A atividade física, inclusive, pode modificá-lo", conta o neurologista Li Li Min, professor da Unicamp, no interior de São Paulo.

Um trabalho recente realizado pela Universidade de Columbia, nos Estados Unidos, aponta que a região cerebral mais beneficiada pelos esportes ou pela ginástica é o hipocampo. E é bem ali que ficam arquivadas as nossas lembranças. Os cientistas monitoraram durante três meses o comportamento do hipocampo de onze voluntários, antes e depois de correrem na esteira. Essa área foi se tornando cada vez mais requisitada. A circulação ficou mais intensa nesse ponto da massa cinzenta, sem contar indícios da formação de novos neurônios. O desempenho dos voluntários nos testes de memória também melhorou bastante, confirmando o que se presumia nas imagens da ressonância.

Os neurocientistas até arriscam uma explicação com base na química para os ganhos proporcionados pelos exercícios. Segundo eles, quando nossos músculos se flexionam e se relaxam seguidas vezes, liberam uma proteína chamada IGF-1. Ela, por sua vez, viaja até o cérebro e ali estimula a síntese de uma substância, o BDNF, relacionado com a nossa capacidade de raciocínio apurado.

Outro estudo que comprovou a ação da atividade física sobre a memória foi realizado no Hospital das Clínicas de São Paulo, sob a coordenação da professora Maria Angela Soci, presidente da Sociedade Brasileira de Tai Chi Chuan. "Com uma equipe do departamento de gerontologia do hospital, selecionamos vinte voluntários com mais de 65 anos que praticavam essa modalidade duas vezes por semana", conta Angela. Depois dos três primeiros meses de atividade, o grupo passou por uma avaliação e os resultados surpreenderam os especialistas. "Houve grande melhora na concentração e na memória."

A capacidade de reter informações não é o único ganho proporcionado pelos exercícios. "Eles beneficiam o sistema neurológico como um todo", diz o médico Arnaldo José Hernandez, presidente da Sociedade Brasileira de Medicina do Exercício e do Esporte. "E quanto mais lúdica a modalidade, melhor", observa. Além de deixar o raciocínio tinindo, manter-se ativo fisicamente ajudaria a evitar e até tratar certas doenças neurológicas. Alguns trabalhos defendem que movimentar o corpo com regularidade diminui os riscos, por exemplo, de pequenos derrames, aqueles que às vezes nem são notados no momento em que acontecem, mas que atrapalham a cognição, ou seja, a capacidade de assimilar conhecimento.

O que seria essa tal prática regular? O estudo realizado no Hospital das Clínicas de São Paulo revelou que realizar exercícios duas vezes por semana já faz um bem enorme, mas ainda não há consenso a respeito da frequência ideal. Muitos pesquisadores sugerem que você se exercite pelo menos três vezes por semana – essa é a indicação, aliás, para quem quer dar uma força ao corpo inteiro, sobretudo ao sistema cardiorrespiratório.

Cérebro malhado

Na Unicamp, no interior paulista, os pesquisadores analisaram as imagens do cérebro de 36 indivíduos – vinte sedentários, oito judocas e oito corredores de longa distância. "Só notamos alterações positivas na massa cinzenta dos que praticavam exercícios", explica Wantuir Jacini, professor de educação física e mestre em neurociência. "E o mais impressionante foi que as mudanças no grupo dos lutadores de judô não foram as mesmas observadas na turma dos que correm", completa Wantuir, que usou essa pesquisa em sua tese de mestrado. "Isso pode ser um indício de que precisamos lançar mão de atividades diferentes para prevenir diferentes problemas, como o Parkinson e o Alzheimer."

O orientador do estudo, o neurologista Li Li Min, acrescenta: "Esse é só o começo de um longo caminho até que se possa recomendar com precisão este ou aquele esporte para combater males diferentes".

Os efeitos mentais da atividade física são cumulativos. Se você já incluiu exercícios em sua rotina há muito tempo, tanto melhor. Se ainda vive no maior sedentarismo, esse é mais um motivo para mudar seu estilo de vida sem perda de tempo.

5. Como manter o bom humor

Fonte: Conceição Trucom, site www.docelimao.com.br

Manter o bom humor e fazer da vida uma saudável brincadeira é a melhor maneira de exercitar seu cérebro e permanecer sempre jovem.

Homens e meninos só diferem quanto ao tamanho dos seus brinquedos. Pelo menos é o que dizia um adesivo colado no vidro traseiro de um jipe estacionado numa esquina de São Paulo. As manchas de barro grudadas na lataria do veículo – fruto provável de frenéticas correrias por estradas lamacentas – pareciam demonstrar que seus donos levavam essa frase ao pé da letra. Sorte a deles, por assumirem na teoria e na prática uma verdade que o nosso mundo urbano moderno (e sisudo) quase esqueceu: brincar é preciso.

Todos os grandes gênios que a humanidade já produziu concluíram, mais cedo ou mais tarde, que nosso vasto mundo é um *playground* onde, dentre todas as moedas de troca, a mais importante é o bom humor. Seja na forma de circo, de longas caminhadas a pé, de contar piadas numa roda de amigos, brincar é, sem dúvida, o melhor remédio.

Para William Shakespeare, brincar tem a ver com teatro: "O mundo é um palco onde homens e mulheres são apenas atores; entre a entrada e a saída, cada um desempenha vários papéis".

Gostar de brincar dispensa explicações. É como gostar de rir, cantar, dançar, caminhar na praia numa manhã de verão. Faz parte daquelas coisas essenciais que já nascem com a gente, e sem as quais a vida vira um mingau insosso. Basta observar a natureza: você já viu como os animais adoram brincar?

Cada vez mais distantes da natureza, esquecemos que brincar é fundamental para a saúde física, psíquica e mental e para a felicidade.

Cérebro brincalhão

A perda do meio ambiente adequado para se brincar e, como consequência, da própria capacidade de brincar, produz muitos efeitos negativos na vida das pessoas, sejam crianças ou adultos. Nos últimos tempos, cientistas de várias áreas dedicaram-se a investigar a filosofia e a psicologia do ato de brincar: o que acontece com o corpo, o cérebro e o comportamento de uma criatura quando ela se diverte, faz travessuras, ri e desfruta a vida?

Desde o início, os resultados surpreenderam: é justamente quando se brinca que as células cerebrais formam mais e mais conexões (sinapses), criando uma rede densa de ligações entre neurônios que passam sinais eletroquímicos de uma célula para outra. Ou seja, o ato de brincar e rir estimula e exercita as diferentes funções cerebrais. Sinapses brotam em grande número especialmente durante a prática de travessuras.

O cerebelo é a parte do cérebro responsável pela coordenação motora, pelo equilíbrio e pelo controle dos músculos. Por meio dos intensos estímulos físicos e sensoriais produzidos pelas brincadeiras, risos e gargalhadas, são reforçadas as ligações sinópticas cerebelares que, em troca, aceleram o desenvolvimento motor nas crianças e, nos adultos, preservam e reforçam essas mesmas capacidades motoras.

Certamente, outras partes do cérebro também se beneficiam da estimulação da brincadeira, o que pode explicar o fato de as espécies com cérebro grande, como a dos primatas e a dos golfinhos, serem tão brincalhonas. Nessas criaturas, sem esquecer que o homem é também um bicho de cérebro grande, o cérebro continua a amadurecer muito tempo depois do nascimento e, portanto, precisa, o mais possível, desses "beliscões" do mundo externo facilmente proporcionados pelas brincadeiras e situações de alegria e de prazer.

Os movimentos vigorosos das brincadeiras também ajudam no amadurecimento dos tecidos musculares. Ao enviar tipos variados de sinais nervosos para os músculos do corpo, o ato de brincar assegura a distribuição e o crescimento adequado das fibras musculares de resposta rápida, necessária para atividades aeróbicas. Os estudos de desenvolvimento muscular de camundongos, gatos e outros animais revelam que o crescimento e a diferenciação dessas fibras musculares são maiores justamente quando esses bichos estão na fase mais brincalhona e divertida de suas vidas.

Brincar, contudo, não é fundamental apenas para o bom desenvolvimento e para a manutenção do cérebro e dos músculos. Do ponto de vista psicológico e comportamental, essa atividade tem importância ainda mais profunda e sutil.

A sedução do humor

Você faz parte do time dos brincalhões alegres de bem com a vida, ou é daqueles que confundem seriedade com chatice rabugenta? Eu já fiz minha opção: gosto de brincar e assumo o risco de, às vezes, até passar por tonta ou gaiata. Entendo que, se para a criança a vida lúdica é fundamental, deixar de brincar não é. No adulto, ser sério e responsável é sinal de maturidade. Mas se não permitimos flexibilidade, adaptabilidade e versatilidade para a responsabilidade, está comprado o passaporte certo para a decrepitude.

Claro, eu bem sei que a melancolia existe e, em determinados momentos, ela precisa ser respeitada. Quando ela chega, deixo que se instale e desempenhe o seu papel. Mas, na primeira oportunidade, procuro seduzi-la com o presente do bom humor. Ela quase sempre aceita a proposta e entra no jogo. Pois, embora não pareça, até a melancolia gosta de brincar.

6. Os aspectos positivos dos desafios

Fonte: e-jornal do Isvara Instituto de Yoga

Se sua casa pegar fogo, aproveite para se aquecer!
– Provérbio espanhol

O laboratório de Thomas Edison foi totalmente destruído pelo fogo em dezembro de 1914. Apesar de os prejuízos ultrapassarem 2 milhões de dólares, o prédio estava segurado em apenas 238 mil dólares, porque, por ser de concreto, era tido como sendo à prova de fogo. Muito do trabalho de pesquisa de uma das pessoas mais inventivas que o mundo conheceu se foi com as labaredas impressionantes daquela noite de dezembro. No auge do incêndio, o filho de Edison, Charles, um rapaz de 24 anos, procurava freneticamente pelo pai em meio à fumaça e destroços. Finalmente o achou, calmamente observando a cena, com ar de reflexão, seus cabelos brancos ao vento.

"Meu coração doeu por ele", contou Charles, "um homem de 67 anos que via tudo o que possuía se consumir para sempre nas chamas. Quando me avistou, meu pai gritou: 'Charles, onde está sua mãe? Chame-a depressa e traga-a aqui, porque ela nunca mais terá a oportunidade de ver algo assim'".

Na manhã seguinte, Edison, olhando para os escombros, refletiu: "Há um lado bom na desgraça. Todos os nossos erros são queimados. Graças a Deus, podemos recomeçar do zero". Três semanas depois do incêndio, Thomas Edison inventou o fonógrafo.

Lição: Mesmo diante de prejuízos, nunca pare de aprender e de se adaptar. O mundo está sempre mudando. Abra-se para novas ideias.

Limitar-se ao que já sabemos e com o que nos sentimos à vontade nos isola e nos frustra diante das novas circunstâncias à nossa volta.

Havia um casal na faixa dos 80 anos. Na grande mesa de refeição que reunia filhos e netos aos domingos, o contraste entre os dois era flagrante. Ela, atenta ao que se dizia, curiosa em ouvir histórias e opiniões, em entender o que se passava no mundo, às vezes se escandalizava com a linguagem dos jovens, mas colocava seus limites sem censurar.

Ele, desinteressado, emburrado mesmo, porque ninguém prestava atenção nas suas histórias, contadas e recontadas centenas de vezes.

Ela mantinha um diário e, tendo dificuldade para escrever à mão, fizera um curso de computador e digitava diariamente suas experiências e o que se passava na família. Estava descobrindo a internet e se maravilhava viajando na tela. Os netos vinham visitá-la durante a semana e, com gosto, contavam suas histórias.

Ele era ouvido com tédio e condescendência, pois estava fechado para escutar, para aprender, para descobrir, apegado a um passado que lhe dera segurança. Começava a morrer em vida.

Rigidez e flexibilidade não têm idade. Nada é previsível. Há pessoas razoavelmente jovens aferradas a seus hábitos, ideias, valores; são "donas da verdade", surdas às ideias e argumentações que possam contestar seus dogmas, centradas em si mesmas e despidas de qualquer curiosidade em relação à novidade com que o mundo constantemente nos presenteia.

Essas pessoas estão preparando um envelhecimento precoce e condenando-se a uma melancólica solidão.

Em pesquisas realizadas com americanos idosos, a satisfação estava mais relacionada à capacidade de adaptar-se do que às suas finanças ou à qualidade de seus relacionamentos.

Aqueles que são resistentes às mudanças e que se fecham para os fatos e ao novo têm chances reduzidas de se sentirem felizes.

❧ Anexo III ❧

Reflexões

Muitos acreditam que a grande busca do ser humano é pela felicidade. Ledo engano. O verdadeiro "objetivo" da humanidade é a experiência contínua do estado de paz. Sem essa conquista, os momentos de aprendizado, de gratidão e de felicidade tornam-se fugazes e efêmeros.

A inteligência verdadeira vem da integração de todas as nossas inteligências e só pode ser conquistada pelo ser que busca o comprometimento com a serenidade.

O termômetro que confirma a assertividade de nossas decisões é a sensação de paz.

Estas são reflexões que faço frequentemente e que me ajudam muito a colocar em prática tudo o que escrevo neste livro. Outras reflexões, de outros autores, são igualmente poderosas:

Não é ocioso apenas o que nada faz,
mas também quem poderia empregar melhor o seu tempo.
– Sócrates

*A ação só é virtuosa quando é feita em conformidade com a razão,
a qual representa um meio como consequência. Em primeiro lugar,
portanto, as ações deveriam expressar a razão correta.*
– Aristóteles

*A característica distinta do homem é a sua razão, e o bem maior do
homem é a realização completa de sua razão.*
– Aristóteles

Nossa mente pode ser nosso maior amigo, ou nosso maior inimigo.
– Krishna

*Quanto mais esperto o homem se julga, mais precisa de proteção
divina para defender-se de si mesmo.*
– Sêneca

*Se você pensa que pode, está certo.
Se você pensa que não pode, da mesma forma está certo.
A mente que se julga pronta suplanta obstáculos.*
– Henry Ford

*Transformar nosso coração e mente é compreender como
funcionam os pensamentos e as emoções.*
– Dalai Lama

É ilógico esperar sorrisos dos outros se nós mesmos não sorrimos.
– Dalai Lama

As transformações mentais demoram e não são fáceis.
Exigem um esforço constante.
– Dalai Lama

Se você quer transformar o mundo,
transforme primeiro seu mundo interior.
– Dalai Lama

A arte de escutar é como uma luz
que dissipa a escuridão da ignorância.
– Dalai Lama

Um recurso poderoso para nos ajudar a gerir com habilidade a
nossa vida é perguntar antes de cada ato se isso nos trará felicidade.
Isso é válido desde a hora de decidir se vamos ou não usar drogas,
até se vamos ou não comer aquele terceiro pedaço de torta de
banana com creme.
– Dalai Lama

Um ser que está espiritualmente em desenvolvimento não é aquele
que acumula verdades, mas aquele que supera os desafios.
– Autoria desconhecida

O movimento do corpo é a porta para o aprendizado.
Ele é essencial à vida. Sem o movimento, não existe vida
nem ocorre o pleno desabrochar do potencial interior.
– Dr. Paul Dennison

1. Diretrizes para o ser humano

Este texto, de autoria desconhecida, tem grande significado para o conteúdo deste livro, por isso quero compartilhá-lo com você:

Você receberá um corpo físico.

Você pode amá-lo ou detestá-lo, mas ele será seu ao longo de toda a sua existência.

Você receberá lições.

Você estará matriculado na escola da vida em período integral. Você terá oportunidades para aprender a cada dia que passa. Você poderá usar essas oportunidades ou deixá-las passar simplesmente.

Não há erros, apenas lições.

O crescimento é resultado de um processo de tentativa e erro: uma experimentação.

Os experimentos fracassados são parte do processo, tanto quanto os experimentos vitoriosos.

Uma lição se repetirá até que tenha sido aprendida.

Essa lição será apresentada a você sob várias formas até que a tenha aprendido, e só então você passará para a próxima lição. Aprender lições é um processo interminável.

Não há nenhum acontecimento na vida que não contenha uma lição.

Se você está vivo, sempre haverá uma lição a aprender.

Lá não é melhor do que aqui. Quando o seu lá se transformar em aqui, você apenas estará obtendo outro lá que, mais uma vez, parecerá melhor que aqui.

Os outros são apenas espelhos da sua própria imagem.

Você não pode amar ou detestar alguma coisa em outra pessoa sem que isso reflita alguma coisa que você ama ou detesta em si mesmo.

É você quem escolhe o que quer fazer da sua vida.

Você tem todas as ferramentas e recursos de que precisa: o que faz com eles é problema seu. A escolha é sua.

As respostas estão dentro de você. As respostas às questões da vida estão dentro de você. Tudo o que você tem a fazer é prestar atenção, escutar e confiar.

2. As vinte regras de vida

O pensador russo Gurdjieff, que no início do século XX já falava em autoconhecimento e na importância do saber viver, uma vez disse: "Uma boa vida tem como base o sentido do que queremos para nós em cada momento e daquilo que, realmente, vale como principal". Ele traçou vinte regras de vida que foram colocadas em destaque no Instituto Francês de Ansiedade e Estresse, em Paris.

1. Faça pausas de 10 minutos a cada 2 horas de trabalho, no máximo. Repita essas pausas na vida diária e pense em você, analisando suas atitudes.

2. Aprenda a dizer não sem se sentir culpado ou achar que magoou. Querer agradar a todos é um desgaste enorme.

3. Planeje seu dia, sim, mas deixe sempre um bom espaço para o improviso, consciente de que nem tudo depende de você.

4. Concentre-se em apenas uma tarefa de cada vez. Por mais ágeis que sejam os seus quadros mentais, você se exaure.

5. Esqueça, de uma vez por todas, que você é imprescindível. No trabalho, em casa, no grupo habitual. Por mais que isso

lhe desagrade, tudo anda sem a sua atuação, a não ser você mesmo.

6. Abra mão de ser o responsável pelo prazer de todos. Não é você a fonte dos desejos, o eterno mestre de cerimônias.

7. Peça ajuda sempre que necessário, tendo o bom senso de pedir às pessoas certas.

8. Diferencie problemas reais de problemas imaginários e elimine-os, pois são pura perda de tempo e ocupam um espaço mental precioso que deveria ser preenchido com coisas mais importantes.

9. Tente descobrir o prazer de ações cotidianas, como dormir, comer e tomar banho, sem também achar que é o máximo a se conseguir na vida.

10. Evite se envolver com a ansiedade e a tensão alheias. Espere um pouco e depois retome o diálogo, a ação. Os outros estão mais bem preparados para resolver seus próprios problemas.

11. Sua família não é você; ela está com você, compõe o seu mundo, mas não é a sua própria identidade. Cada um é individual e diferente.

12. Entenda que princípios e convicções fechados podem ser um grande peso, a trave do movimento e da busca.

13. É preciso ter sempre alguém em quem se possa confiar e falar abertamente num raio de pelo menos cem quilômetros. Não adianta estar mais longe.

14. Saiba a hora certa de sair de cena, de retirar-se do palco, de deixar a roda. Nunca perca o sentido da importância sutil de uma saída discreta.

15. Não queira saber se falaram mal de você, nem se atormente com esse lixo mental; escute o que falaram bem, com reserva analítica, sem qualquer convencimento.

16. Competir no lazer, no trabalho, na vida a dois, é ótimo... para quem quer ficar esgotado e perder o melhor.

17. A rigidez é boa na pedra, não no homem. A ele cabe firmeza, o que é muito diferente.

18. Uma hora de intenso prazer substitui com folga 3 horas de sono perdido. O prazer recompõe mais que o sono. Logo, não perca uma oportunidade de divertir-se.

19. Não abandone suas três grandes e inabaláveis amigas: a intuição, a inocência e a fé.

20. Entenda de uma vez por todas, definitiva e conclusivamente: você é o que você fizer. Não culpe os outros pela sua infelicidade, pois só você poderá fazer a si mesmo feliz!

❧ Referências Bibliográficas ❧

Livros

ANDERSON, Bob. *Alongue-se*. São Paulo: Summus Editorial, 1983.

BRAGA, Rosana. *O Poder da Gentileza*. São Paulo: Editora Minuano, 2007.

CHAUI, Marilena. *Espinosa: Uma Filosofia da Liberdade*. São Paulo: Moderna, 2005.

COLEÇÃO Mente, Cérebro & Filosofia. vol. 1. São Paulo: Editorial Duetto, 2006.

COLEÇÃO Mente, Cérebro & Filosofia. vol. 3. São Paulo: Editorial Duetto, 2006.

DAHLKE, Rüdiger. *Mandalas*. São Paulo: Pensamento, 1997.

DENNISON, Paul E. & DENNISON, Gail E. *Ginástica Cerebral*. Porto Alegre: Século XXI, 1996.

FUNES, Mariana. *O Poder do Riso*. São Paulo: Ground, 2001.

GOLEMAN, Daniel. *Inteligência Emocional*. Rio de Janeiro: Objetiva, 1995.

IRWIN, William. *Seinfield e a Filosofia*. São Paulo: Madras, 2004.

KATZ, Lawrence C. & RUBIN, Manning. *Mantenha seu Cérebro Vivo*. Rio de Janeiro: Sextante, 2000.

KRECH, David. *Cérebro e Conduta*. Rio de Janeiro: Salvat, 1979.

LAMBERT, Eduardo. *A Terapia do Riso*. São Paulo: Pensamento, 1999.

LANGRE, Jacques de. *Do-in – Técnica de Automassagem*. Rio de Janeiro: Ground, 1977.

LEE, Bruce. *Aforismos*. São Paulo: Conrad, 2007.

MANNION, James. *O Livro Completo da Filosofia*. São Paulo: Madras, 2006.

MUSIC, Graham. *Conceitos da Psicanálise, Afetos e Emoções*. Série Mente & Cérebro – Conceitos da Psicanálise. São Paulo: Editoral Duetto, 2005.

MYSS, Caroline. *Anatomia do Espírito*. Rio de Janeiro: Rocco, 2000.

PIERRAKOS, Eva & THESENGA, Donovan. *Não Temas o Mal*. São Paulo: Cultrix, 1995.

_____. *O Caminho da Autotransformação*. São Paulo: Cultrix, 1990.

OHM Dietmar, *Rir, Amar e Viver Mais*. São Paulo: Paulinas, 2002.

RINPONCHE, Sogyal. *O Livro Tibetano do Viver e do Morrer*. São Paulo: Talento-Palas Athena, 2000.

RUIZ, Don Miguel. *Os Quatro Compromissos*. Rio de Janeiro: Best Seller, 2005.

STONE, Joshua D. *Psicologia da Alma*. São Paulo: Pensamento, 1998.

TOLE, Eckhart. *O Poder do Agora*. Rio de Janeiro: Sextante, 2002.

TREVISAN, Lauro. *Sem Pensamento Positivo não Há Solução*. Santa Maria: Mente, 1996.

TRUCOM, Conceição. *Alimentação Desintoxicante*. 6. ed. São Paulo: Alaúde, 2009.

_____. *Soja: Nutrição & Saúde*. São Paulo: Alaúde, 2004.

_____. *O Poder de Cura do Limão*. São Paulo: Alaúde, 2004.

_____. *A Importância da Linhaça na Saúde*. São Paulo: Alaúde, 2005.

_____. *De bem com a Natureza*. São Paulo: Alaúde, 2012.

_____. *Cadê o Leite que Estava Aqui?* São Paulo: Doce Limão, 2017.

TULKU, Tarthang. *A Mente Oculta da Liberdade*. São Paulo: Pensamento, 2001.

_____. *Gestos de Equilíbrio*. São Paulo: Pensamento, 2000.

_____. *Técnicas de Relaxamento*. São Paulo: Pensamento, 2001.

Internet

Afeto

http://www.saudevidaonline.com.br/artigo53.htm

Alimentação desintoxicante

http://www.docelimao.com.br/site/desintoxicante/principios.html

Aromaterapia

http://www.docelimao.com.br/site/menu-do-assinante/videodicas-assi-nantes/86-terapias/381-pequeno-dicionario-de-oleos-essenciais.html
http://www.aromarte.com.br

Cérebro

http://www.webciencia.com/11_04cerebro.htm

Depressão e afeto

Com o dr. Ballone: http://www.libertas.com.br/depressao-2/
Com o dr. Sidarta Ribeiro: http://www.scielo.br/scielo.php?script=sci_arttext&pid=S0103-40142013000100002

Estágios da consciência: Swami Sambodh Naseeb

http://www.biozen.blogspot.com

Doença de Alzheimer

http://www.alzheimermed.com.br
http://pt.wikipedia.org/wiki/Mal_de_Alzheimer

Doença de Parkinson

http://pt.wikipedia.org/wiki/S%C3%ADndrome_de_Parkinson   http://www.ivdn.ufrj.br/kb_ivdn_v01_03_Doencas_08_parkinson_01.htm

Mandalas

http://www.mandalamystica.com.br
http://www.mona.com.br/colorir/mandalas/

Meditação

http://www.docelimao.com.br/site/meditacao-reflexao-e-respiracao.html

Neurônios, neurogênese e neuromodulação
http://pt.wikipedia.org/wiki/Neuronio
http://neuronios.pbworks.com
http://pt.wikipedia.org/wiki/Neurotransmissor#Neurotransmissores_Importantes_e_suas_Fun.C3.A7.C3.B5es
https://drauziovarella.uol.com.br/reportagens/neuromodulacao-ajusta-desequilibrios-no-cerebro-para-tratar-de-parkinson-a-depressao/
Dra. Sandrine Thuret: https://www.kcl.ac.uk/ioppn/depts/bcn/our-research/cells-behaviour/thuret-adult-neurogenesis/about

Plantas alimentícias não convencionais – PANC
http://www.docelimao.com.br/site/panc-na-fonte.html

Sono
Instituto do Sono: http://www.institutodosono.com.br/
Dra. Regeane Trabulsi Cronfli:
http://www.cerebromente.org.br/n16/opiniao/dormir-bem1.html

Terapia do riso
http://www.docelimao.com.br/site/terapia-do-riso/o-conceito.html
Sitocol risus ativus: http://www.docelimao.com.br/site/terapia-do-riso/o-conceito/99-sitocol-r-risus-ativus.html